RWANDA 94

GROUPOV

AUTEURS : MARIE-FRANCE COLLARD,
JACQUES DELCUVELLERIE, YOLANDE MUKAGASANA,
JEAN-MARIE PIEMME, MATHIAS SIMONS

RWANDA 94

*Une tentative de réparation
symbolique envers les morts,
à l'usage des vivants*

Auteurs associés :
Tharcisse Kalisa Rugano, Dorcy Rugamba

Textes des chants rwandais :
Jean-Marie Muyango, Massamba,
Ladislas Twahirwa

Rwanda 94 s'est élaboré dans un dialogue permanent
avec le compositeur Garrett List.

éditions THEATRALES
FESTIVAL INTERNATIONAL DES THÉÂTRES FRANCOPHONES EN LIMOUSIN

La collection *Passages francophones* est née d'une collaboration entre le Festival international des théâtres francophones et les éditions Théâtrales. Depuis plusieurs années, la Maison des Auteurs de Limoges accueille en résidence des dramaturges de langue française, venus du monde entier pour écrire du théâtre. Leurs textes, pour la plupart inédits, proposent des imaginaires aux couleurs vives et témoignent de formes nouvelles issues de cultures métissées. Véritable invitation, pour le lecteur, comme pour le spectateur, à parcourir le chemin de ces écritures, cette collection veut contribuer à la présence de toutes les langues françaises sur les scènes contemporaines.

PASSAGES   FRANCOPHONES
Collection dirigée par Patrick Le Mauff et Jean-Pierre Engelbach

La représentation des pièces de théâtre est soumise à l'autorisation de l'auteur ou de ses ayants droit. Avant le début des répétitions, une demande d'autorisation devra être déposée auprès de la SACD.

© 2002, Éditions THÉÂTRALES
38, rue du Faubourg Saint-Jacques 75014 Paris

ISBN : 2-84260-102-5

INTRODUCTION

Rwanda 94 : *les événements*

Le 6 avril 1994, l'avion du président du Rwanda, Juvénal Habyarimana est abattu. En quelques heures, la ville de Kigali est quadrillée de barrières tenues par des miliciens Interahamwe et des militaires. La chasse aux opposants politiques et à toute personne « d'ethnie » Tutsi commence. Elle durera trois mois et fera de huit cent mille à un million de morts. En moins de cent jours, à la machette, à la massue, à coups de fusils, de mitrailleuses, de grenades, noyés ou brûlés vifs, hommes, femmes, enfants, vieillards, seront exterminés dans les villes, sur les collines, dans les temples et les églises. Le troisième génocide officiellement reconnu par la communauté internationale en ce siècle, s'est déroulé au vu et au su du monde entier. Il avait été annoncé de longue date par des experts, précédé de massacres d'envergure en 1992 et 1993, prédit par une commission d'enquête de la Fédération internationale des Droits de l'homme en 1993, l'entourage présidentiel y était clairement désigné comme responsable. Sur place, se trouvait une force armée de l'ONU commandée par le général Dallaire, celui-ci avait envoyé − trois mois auparavant − un message urgent au secrétaire général, décrivant les préparatifs de la tuerie planifiée... Non seulement rien ne fut entrepris, mais après l'assassinat de dix casques bleus belges, les forces de l'ONU quittèrent massivement le pays, laissant le génocide s'accomplir sans aucune entrave.

Pendant ces trois mois d'enfer, une bataille diplomatique fut menée par certains pays afin d'empêcher que cette boucherie ne soit qualifiée de génocide. Il s'agissait d'éviter que les États soient contraints à intervenir contre le gouvernement rwandais, comme la loi internationale le prévoit désormais si le génocide est avéré. Vers la fin, la France obtint « à l'arraché » un mandat et déclencha l'opération Turquoise. Alors que le génocide était demeuré quasiment invisible sur les écrans, un déchaînement médiatique accompagna les forces françaises en Afrique. Finalement, Turquoise sauva quelques vies mais protégea surtout l'exode des assassins et favorisa l'émigration massive de la population affolée et toujours encadrée par les forces génocidaires. Il semble que le but réel de l'opération était moins d'arrêter le génocide que de freiner et restreindre la victoire du FPR (Front patriotique rwandais), composé d'exilés principalement Tutsis.

Le génocide a détruit la vie de centaines de milliers de familles, ceux qui ont survécu en sont blessés pour toujours. Aujourd'hui qu'ils constituent une petite minorité dans un pays profondément bouleversé, beaucoup se sentent abandonnés, incompris, nombre d'entre eux connaissent des troubles mentaux graves et leurs conditions de vie sont généralement misérables. C'est à eux, morts vivants en quelque sorte, et à la mémoire de leurs proches assassinés, que le travail du Groupov est dédié. Ils en sont l'inspiration et la voix.

Le projet Rwanda 94

Le projet *Rwanda 94* est né d'une révolte très violente. Devant les événements eux-mêmes : le génocide perpétré dans l'indifférence et la passivité générales. Les morts n'avaient pas de nom, pas de visage, pas d'importance. En même temps, révolte contre le discours qui constituait ces événements en informations, à la télévision, la radio et dans la presse. Cette « dramaturgie » de l'information est un des sujets du spectacle. À de rares et belles exceptions près, la *tragédie rwandaise* s'y présentait comme une *guerre tribale*, un massacre inter-ethnique entre Hutus et Tutsis, problème *typiquement africain*. La responsabilité occidentale ne semblait en rien engagée dans ce qui apparaissait implicitement comme une résurgence de la barbarie nègre dès que les Européens ont tourné le dos.

Bien que l'histoire du Rwanda ne leur fût pas connue à l'époque, Marie-France Collard et Jacques Delcuvellerie soupçonnèrent rapidement qu'une telle simplification ne pouvait correspondre à la réalité. La faillite de l'ONU, les vives différences d'appréciation des responsabilités selon les médias anglo-saxons, belges et français, et finalement, l'opération Turquoise, achevèrent de les persuader que des intérêts étrangers puissants étaient également en jeu. Le Groupov entreprit alors un long travail d'enquête auprès

6

d'ethnologues, d'historiens, de journalistes, de survivants, de témoins, il organisa aussi trois voyages d'information sur place. L'équipe dramaturgique de base, écrivains, musiciens, metteurs en scène, certains acteurs, a participé de bout en bout à cette enquête, en même temps qu'elle élaborait les premiers éléments et la première structure de la future création.

Petit à petit, l'objectif du spectacle s'est précisé. Il s'est progressivement défini comme : **une tentative de réparation symbolique envers les morts, à l'usage des vivants.**

Cette orientation impliquait que notre travail ne soit pas seulement de deuil et de déploration, mais tente de répondre à la question : Pourquoi? Pourquoi est-ce arrivé? Pourquoi cette haine, pourquoi ces morts, pourquoi cette indifférence devant le génocide, pourquoi ces complicités avec les assassins?

Nous tenons pour malfaisante l'assertion des «sages» selon laquelle l'horreur est inconnaissable et que l'analyse des causes qu'on peut repérer à son avènement, s'avère finalement impuissante à en rendre compte réellement.

Cette position a beaucoup été soutenue pour le génocide des Juifs. D'un côté on diffuse à une échelle sans précédent le témoignage des rescapés, les images du crime, les descriptions de la machine de mort et de ses ingénieurs, dans l'intention hautement proclamée de prévenir les jeunes générations du retour de l'innommable, de l'autre on rejette la possibilité même de comprendre et d'analyser rationnellement le phénomène. Il résulte de cette double attitude une fascination morbide extrêmement douteuse. On constitue une action humaine en preuve insondable d'une métaphysique du mal, et la responsabilité s'en partage entre un *fou*, Hitler, et *l'homme ordinaire* : ceux qui l'ont élu, ceux qui ont cru en lui, ceux qui ne voulaient pas savoir, ceux qui savaient mais n'ont rien fait, ceux qui lui ont facilité le travail, ceux qui ont directement participé, etc. En ayant décrété d'emblée comme inappropriées, voire au mieux comme *réductrices*, les approches économiques, politiques, scientifiques du génocide, il ne reste plus que le diable et la part obscure que chacun porte en soi. L'événement commence ainsi à échapper à l'histoire, il entre dans le domaine de la lutte éternelle du bien et du mal, c'est presque dire qu'à vouloir en prévenir le retour de cette façon on annonce déjà la résurgence du monstre.

Ce type d'approche existe également à propos du Rwanda. Il est vain de répéter sans cesse : *Plus jamais ça !*, en décrivant l'horreur, mais en décrétant les causes au-delà de la compréhension humaine. C'est la rencontre des survivants qui a déterminé encore plus fermement cette orientation. Yolande Mukagasana, rescapée du génocide présente dans le spectacle, nous a souvent répété : *Je veux savoir pourquoi mes enfants sont morts*[1].

Rwanda 94 tente donc, imparfaitement bien sûr mais résolument, de rendre voix et visage aux victimes mais aussi d'interroger les motifs et le processus de leur assassinat. On ne saurait s'imposer moins dans le souci, ou **à l'usage,** des vivants.

L'œuvre éditée

Le texte ici publié ne constitue pas exactement une pièce de théâtre au sens habituel du terme, c'est-à-dire un objet littéraire à destination de la scène. Il s'agit plutôt de la partie écrite d'un spectacle conçu dès le départ comme une œuvre polymorphe. *Rwanda 94* en représentation conjugue en effet à cette parole près de trois heures de musique, instrumentale et vocale, et des images d'archives comme de fiction. C'est cette composition d'ensemble à laquelle ont œuvré tous les artistes associés à cette création, dont les écrivains.

Cependant, au moment de répondre à la demande d'éditer cette part écrite, nous avons adopté le scénario suivant : transcrire l'œuvre de telle manière que si, par une improbable et heureuse occurrence, un metteur en scène n'ayant jamais vu le spectacle décidait à nouveau de sa représentation, il puisse y trouver tous les éléments nécessaires et suffisants. Autrement dit, avec assez d'indications pour se figurer l'original mais aussi l'espace d'inventer d'autres solutions scéniques.

Ainsi, pour nous, *Rwanda 94* est indissociable de la musique composée par Garrett List et nos amis rwandais. Et celui qui veut se

---

1. Yolande Mukagasana est auteur de *La Mort ne veut pas de moi* (Éditions Fixot), *N'aie pas peur de savoir* (Éditions Laffont) et *Les Blessures du silence* (Actes Sud).

figurer réellement le spectacle devrait naturellement se reporter au double CD[2] édité par le Groupov et Carbon 7, ainsi qu'aux partitions originales. Mais on peut aussi imaginer qu'une réalisation nouvelle suscite un autre rapport à la musique et au texte... C'est pourquoi, si nous indiquons les interventions sonores et audiovisuelles, celles-ci ne sont pas détaillées.

On pourrait dire que nous publions la partition dramatique de *Rwanda 94*, de telle manière que les autres composants soient imaginables.

Jacques Delcuvellerie

---

2. *Rwanda 94 – Une tentative de réparation symbolique envers les morts, à l'usage des vivants*, création : Groupov, directeur artistique : Jacques Delcuvellerie, compositions : Garrett List, avec des compositions additionnelles de Jean-Marie Muyango. Éditions Carbon 7 et Groupov.

PERSONNAGES

YOLANDE, rescapée du génocide des Tutsis et du massacre des opposants politiques au Rwanda en 1994

LE CHŒUR DES MORTS, cinq victimes du génocide des Tutsis, hommes et femmes

MUYANGO, maître musicien rwandais

FANTÔMES ÉLECTRONIQUES, trois hommes, une femme, une jeune fille, un petit garçon, victimes du génocide *(personnages filmés)*

MADAME BEE BEE BEE, journaliste-vedette de la télévision

PAOLO DOS SANTOS, son assistant

KAMALI, linguiste rwandais *(personnage filmé)*

COLETTE BAGIMONT, grand reporter de la presse écrite

JACOB, ébéniste juif

UN CONFÉRENCIER

MONSIEUR CEKOMSA, MONSIEUR QUAI D'ORSAY, MONSIEUR COMPRADORE, hyènes

UN ÉVÊQUE

UN GÉNÉRAL DES FORCES ARMÉES DE L'ONU

UN ENVOYÉ AFRICAIN DU SECRÉTAIRE GÉNÉRAL DES NATIONS UNIES

SPECTRE D'UN PRÉSIDENT DE LA RÉPUBLIQUE FRANÇAISE

SON FILS

UN CHAUFFEUR AFRICAIN

MONSIEUR UER, responsable de l'Union européenne de radiodiffusion

CORYPHÉE

CHŒUR, deux témoins hommes, deux témoins femmes, un témoin enfant pouvant être joué par un adulte

Des personnages secondaires peuvent apparaître, tels :
Pendant la scène *Nécessité du savoir*, **UN SERVEUR AFRICAIN**.
Pendant la scène de vision *Sur les pentes du Golgotha*, **UN PHOTOGRAPHE, UN INTERAHAMWE, LA SAINTE VIERGE, MARIE-MADELEINE, UN BERGER**, etc.

Orchestre
Piano, clarinette, violon, alto, violoncelle, deux chanteuses, un chef d'orchestre.

Voix enregistrées
Récits de victimes du génocide.

Images
Archives d'actualité : sport ; Jean-Paul II ; François Mitterrand ; Pélerinage à La Mecque ; Opéra de Pékin ; extrait journal télévisé du 28 février 1993, entretien Bruno Masure, Jean Carbonare, Fédération internationale des Droits de l'homme ; montage de huit minutes d'images du génocide ; danses et musique du Rwanda ancien ; personnages filmés.

Après deux « états de travail » (work in progress) d'environ 5 heures présentés à Liège en janvier 1999 et au Festival d'Avignon en juillet 1999, le spectacle Rwanda 94 a été créé en mars 2000 par le Groupov au Théâtre de la Place à Liège, et n'a cessé depuis d'être joué, en Europe et sur d'autres continents. Il a reçu en Belgique le prix du Théâtre 2000, le prix de la Recherche de la SACD et le prix Océ, et en France une mention spéciale du Syndicat de la Critique. *(distribution voir page 172)*

Première partie

ITSEMBABWOKO[1]

---

1. Génocide, en kinyarwanda.

PRÉLUDE I

Yolande Mukagasana et l'orchestre prennent place en même temps.

1. LA MORT NE VEUT PAS DE MOI

Après le prélude, Yolande, assise seule en scène, sur une petite chaise de fer, commence à parler. Seules les premières phrases de cette narration de quarante minutes ont été écrites par le metteur en scène, tout le reste est sa propre parole. Tôt ou tard dans le récit, les larmes étouffent sa voix. À ce moment, toujours, Yolande sort son mouchoir et dit : Excusez-moi. Elle reprend quand elle peut, calmement et toujours clairement. Par la suite, il lui arrive de devoir s'arrêter un instant pour les mêmes raisons, mais elle ne s'excuse plus.

YOLANDE MUKAGASANA.-

> *Ndi ikiremwamuntu gituye ku isi.*
> *Ndi umunyafurika wo mu Rwanda.*
> *Ndi umunyarwandakazi.*

> *Je suis un être humain de la planète Terre.*
> *Je suis une Africaine du Rwanda.*
> *Je suis Rwandaise.*

Je ne suis pas comédienne, je suis une survivante du génocide au Rwanda, tout simplement. C'est ça, ma nouvelle identité. Ce que je vais vous raconter, c'est seulement ma vie de six semaines pendant le génocide.

En avril 1994, je suis mariée. Joseph, mon mari, et moi avons trois enfants : Christian 15 ans, Sandrine 14 et Nadine 13. Nous sommes heureux. Dans mon quartier de Nyamirambo à Kigali, on m'appelle Muganga, cela veut dire docteur. Mais je ne suis pas du tout docteur, je ne suis qu'une infirmière en chef de mon dispensaire, où je fais le petit médecin, faute d'assez de médecins dans mon pays. Je soigne tout le monde. Je fais des accouchements, des consultations ; je pense que je n'ai vraiment pas d'ennemis. Mais le 6 avril 1994, tout va basculer.

Le soir, je suis encore au dispensaire et le téléphone me fait sursauter. C'est la voix de mon mari : *Yolande, rentre d'urgence, j'ai à te parler*. Le temps de lui poser une question, il a raccroché. Sa voix n'est pas comme d'habitude, il y a beaucoup d'angoisse. C'est la première fois depuis seize ans de mariage que mon mari me parle comme ça. Je ferme directement le dispensaire pour rentrer à la maison et sur le chemin du retour tout a changé. Toutes ces personnes qui, encore la veille, me faisaient traîner dans la rue ne me regardent plus. Je leur parle, mais ma voix ne trouve pas d'écho et les visages se détournent sur mon passage. J'ai vraiment peur, je me pose beaucoup de questions. À la maison, mon mari est accroupi dans la salle à manger, la tête entre les mains, il pleure. Il me dit : *Pardonne-moi, Yolande, j'aurais dû accepter quand tu me proposais de continuer à essayer de fuir le pays. Le génocide depuis le temps qu'on en parle, je pense qu'il va commencer. L'avion du président vient d'être abattu alors qu'il venait de Tanzanie.* Pour moi, c'est un mensonge. Je me laisse tomber à côté de lui et je pleure. Mon petit frère Népo arrive, son visage est émacié comme s'il avait pleuré lui aussi. Il reste avec nous. Il appelle ma fille Sandrine et lui dit : *Apporte-moi de la farine.* Sandrine lui apporte de la farine de manioc et mon frère dépose un petit monticule de farine dans ma main. Il me dit : *C'est quoi ça Yolande ? — C'est de la farine. — Non, ce n'est pas de la farine, ce sont les tiens : c'est ton mari, ce sont tes enfants, c'est moi, ce sont nos parents, nos amis.* Il souffle avec violence et la farine s'envole. Il me dit : *Où est la farine ?* je réponds : *Envolée !* Il me dérange réellement mon frère car ce n'est pas le moment de parler de la farine. Il ajoute : *C'est comme ça que tu nous perdras tous Yolande, tu perdras ton mari, tu perdras tes enfants, tu perdras tes amis, même moi, Yolande, tu me perdras. Toi, tu ne mourras pas parce que la mort ne veut pas de toi. Tu auras tout perdu ; l'espoir, la confiance, la dignité. Tu auras tout perdu Yolande sauf l'amour et tu nous vengeras.* À ce moment-là, je n'ai pas compris.

Mon frère nous propose de fuir avec lui vers le Sud du pays, au Burundi, mais nous n'avons pas pu sortir de la ville de Kigali. On tuait partout et il y avait des barrages partout. On a juste eu le temps de retourner à la maison. *Maintenant, Yolande, il ne nous reste plus qu'à attendre.* J'ai dit : *Attendre quoi, Népo ?* Il répond : *La mort.* Je revois encore mon frère qui remonte dans son minibus et depuis, je n'ai plus jamais revu mon frère. Plus jamais. Ce n'est que six ans plus tard que ma nièce Véné me présentera une valise qu'elle garde jalousement sous son lit en attendant que j'arrive, et dans laquelle se trouvent quelques morceaux d'os qu'elle a trouvés sur une colline dans les habits de Népo, les seuls reconnaissables.

Mon mari, orphelin d'autres massacres de Tutsis – massacres que le monde n'a jamais voulu reconnaître, en 1963 – n'arrivait plus à prendre une décision, il était presque mort. J'ai appelé mes enfants, je leur ai dit : *Écoutez les enfants, aujourd'hui nous allons passer la nuit dans la brousse*[2]. Il fallait voir la réaction de mes filles ! Une qui ne voulait pas entendre parler de la brousse, l'autre qui a peur des serpents et des chenilles. Mais mon fils avait tout compris. Il a dit : *Maman a raison, nous devons prendre le chemin de la brousse.*

Cette brousse où j'espérais passer une nuit, nous y avons passé toute une semaine. Toute une semaine sans pouvoir alimenter mes enfants car je ne pouvais rien préparer.

Le 7 avril au matin, mon mari et moi avons laissé les enfants dans la brousse. Nous sommes retournés à la maison pour écouter la radio, pour savoir ce qui se passait autour de nous. J'ai mis en marche la RTLM, Radio Télévision libre des Mille collines, cette radio de la haine et de la mort, qui ne faisait que prêcher la haine entre les frères, diffusant une liste interminable des morts de la nuit. Et tout à coup, j'ai entendu mon nom. J'ai pensé devenir folle, mais mon mari avait entendu la même chose. On s'est regardé, mais nous n'avons pas eu le temps de réagir car le téléphone s'est mis à sonner sans arrêt. Des amis veulent présenter les condoléances à mon mari et c'est moi qui réponds au téléphone. Un vrai cauchemar. D'autres appelaient pour nous dire adieu en disant : *Les assassins sont à côté de chez nous, c'est à notre tour, on vous téléphonait pour vous dire adieu si vous étiez encore en vie, mais ça va vous arriver aussi.* Des enfants téléphonaient pour dire : *On a tué nos parents mais ma mère respire encore, est-ce que vous*

---

2. Kigali est une ville qui s'étend sur plusieurs collines, seuls les grands axes et les routes du centre ville sont asphaltés, les pistes en latérite, la terre rouge des Hauts Plateaux, permettent l'accès aux quartiers périphériques. Là, l'habitat dispersé se répartit entre les parcelles cultivées et la végétation naturelle (la brousse) qui recouvre les collines à cette hauteur (1 500 m).

voulez m'aider pour l'emmener à l'hôpital ? Les enfants ne comprenaient pas que nous ne pouvions rien faire, mais je me demande encore aujourd'hui si quelqu'un peut comprendre la détresse de ces enfants devant notre impuissance. À mon tour, j'ai pris le téléphone, j'ai appelé dans le monde entier, dans tous les pays où j'espérais avoir encore des amis, j'ai appelé dans presque toutes les ambassades en place à Kigali, j'ai appelé au siège des casques bleus. Là où ce n'était pas un répondeur, la réponse était toujours la même : *On ne peut rien pour vous Madame.* J'ai appelé chez le Nonce apostolique et on m'a raccroché au nez. Désespérée, j'ai même téléphoné au siège des rebelles mais le téléphone était coupé. Là, j'ai compris ce que mon frère m'avait dit : *Il faut attendre.* Je ne voulais toujours pas, et puis quoi, attendre la mort ? Peut-être un adulte attendrait même si nous ne savions pas pourquoi, mais comment expliquer aux enfants qu'ils doivent attendre la mort, une mort précédée de tortures et d'humiliations jusqu'à la fin, sans raison, uniquement parce qu'ils sont nés ? Je ne parvenais pas.

Nous avons repris le chemin de la brousse. Dans cette brousse, j'ai eu le temps de penser à mon enfance, quand à l'âge de 5 ans, j'appris qu'on m'appelait Tutsi, par une lance qui me transperce la cuisse droite, par des hommes habillés en feuilles de bananier qui frappaient ma mère pour qu'elle dise où se trouvait mon père pour le tuer. Je revoyais la main de ma mère m'interdisant de pleurer en me fermant la bouche. Elle disait : *Si tu pleures, ils reviendront pour nous tuer car on tue les Tutsis partout.* Je lui demandais de me conduire à l'hôpital et elle me répondait : *Je ne saurai pas te faire soigner, nous ne pouvons pas arriver sans nous faire tuer.* Ma mère a malaxé des feuilles de je ne sais quelle plante et a mis le jus sur ma blessure. Je n'ai jamais été soignée autrement.

Le 12 avril André, notre voisin, un jeune homme, vient dans la brousse. Il a des grenades partout, sur les poches, sur les épaules. Mais ce qui me fait le plus peur, c'est sa machette qui brille au soleil. Je le vois marcher dans la direction de ma fille Nadine. J'ai l'impression qu'il a très peur. Il avait vu où se cachait ma fille et lui dit : *Où est ton père ?* Ma fille baisse les yeux. Mon mari se présente directement : *André, qu'est-ce que tu me veux, je suis là.* Le garçon éclate en sanglots : *Joseph, je n'ai rien contre toi ni contre ta famille, mais aujourd'hui, c'est la fin pour les Tutsis. Écoute la radio, c'est un ordre officiel. On m'envoie pour brûler la brousse mais je n'en ai pas la force. Fuyez chez ma grand-mère, elle vous aime beaucoup, elle va vous cacher. Mais faites attention à mon père car il est cruel et il veut absolument votre peau.* Il a suffi de bouger un peu dans la brousse pour que des voix s'élèvent aux alentours. Tous ces enfants, toutes ces femmes que je soignais avec amour, ils nous criaient dessus et disaient : *Voilà les serpents, voilà les cancrelats, ils arrivent à tel niveau, il faut les attraper.* Je me disais : *Mais qu'est-ce que j'ai pu faire au ciel pour que mes enfants subissent une telle traque ?* J'ai vraiment senti la trahison. J'ai quand même poussé mes enfants devant, on a marché jusque chez la mamie d'André qui nous a accueillis en larmes. Pour moi c'est une sainte femme, elle nous a entassés dans une petite chambre obscure, nous y sommes restés mais pas longtemps. Le lendemain matin, son fils nous a découverts et nous a chassés. Je vois encore sa mère qui se tient devant lui et qui lui dit : *Tu vas verser une seule goutte de sang tutsi, que ce sang te poursuive toute ta vie, toi et ta descendance, je suis ta mère, Jean, ne l'oublie pas — Je m'en fous, ce que je veux c'est qu'ils retournent chez eux.*

Nous sommes retournés à la maison. Nous avons pris une douche à tour de rôle. Cette douche que je considérais comme une purification avant la mort. Je me demande toujours pourquoi nous avons pris une douche. Est-ce qu'il faut vraiment être propre pour mourir ?

Mon mari qui s'était lavé le premier s'était assis dans le jardin et m'a appelée. Il avait la chair de poule sur tout le corps même sur son visage. J'aurais dû comprendre que c'était ça, la couleur de la mort, mais je ne voulais pas, je ne l'acceptais pas. Il m'a dit : *Écoute, Yolande, j'ai pris une décision, nous allons nous séparer pour mieux nous protéger. J'ai appelé ta nièce, Spérancie, elle vient chercher les enfants, toi tu vas te cacher je ne sais pas où et moi, je vais aller à la barrière — Non, tu ne dois pas y aller parce que si tu y vas, on te tue — Tu sais bien que c'est un ordre officiel, je dois absolument être à la barrière, et peut-être que s'ils me tuent ça vous sauvera la vie — Non, tu ne dois pas mourir non plus. Et puis comment veux-tu que les enfants traversent la rue sans être vus ?* Il a dit : *Quand je marcherai vers la barrière, les autres vont se retourner vers moi et les enfants pourront traverser la rue sans être vus. J'y vais, je n'ai plus le choix, sois courageuse car tu dois survivre pour les enfants.* J'ai compris qu'il se sacrifiait pour nous sauver la vie.

Je vois Spérancie qui avance et vient chercher mes enfants, je vois mon mari qui marche vers la barrière. Je n'ai pas la force de leur dire adieu et puis je ne savais pas que c'était la dernière fois que je voyais mon mari et que je pouvais parler avec lui. Peut-être que si j'avais persisté à l'empêcher, il ne serait pas mort aujourd'hui. J'entends encore des coups de tambours, des sifflets, comme si la foudre s'abattait dans mes oreilles ; c'étaient les assassins qui arrivaient et j'ai couru sans savoir où j'allais.

Je me suis retrouvée chez le premier voisin, Côme, qui était devenu un assassin, je ne le savais pas. Mais il n'était pas là. Il était allé «au travail» comme on disait, le génocide était devenu un travail civique. J'étais avec Cécile, sa femme, quand nous avons vu par la fenêtre Côme qui descendait à la tête d'un groupe de militaires armés, ils allaient vers la barrière où se trouvait mon mari. Ils ont séparé les Hutus des Tutsis et ces derniers ont été mitraillés sous nos yeux. Mon mari n'a pas eu la chance de mourir tout de suite. Je l'ai vu se traîner vers notre maison et quelques minutes après, Côme est arrivé chez lui chargé des vivres de chez moi, du matériel, mes habits, des habits de mon mari, des chaussures. Il avait même des porteurs pour tout ce qui était lourd et il m'a chassée de chez lui. En reprenant le chemin de la brousse, j'ai vu une foule de gens qui montaient vers une autre barrière et qui frappaient sur une masse. J'ai reconnu les habits de mon mari. On le frappait, il tombait, on le relevait, on le frappait à nouveau, il tombait encore, ainsi de suite jusqu'à ce que je voie une machette s'abattre sur son bras. J'ai vu sa main tomber. Un filet rouge m'a traversé les yeux, je me sentais étouffer, je me suis évanouie. Quand je me suis réveillée, j'avais très soif. Je suis retournée chez Côme parce que je ne savais où aller. J'ai été demander à boire et j'ai appris par sa femme qu'il y avait deux jours que j'étais partie. J'ai profité qu'elle était allée me chercher à boire et j'ai volé mon propre sucre, le sucre qu'ils avaient pillé chez nous et j'ai rempli les poches de mon pantalon. L'humiliation totale. Mais je voulais absolument trouver quelque chose à donner à mes enfants, je savais qu'ils étaient très affamés depuis des semaines. J'ai demandé à Cécile si elle n'avait pas de nouvelles de mes enfants. Elle a dit : *Non* et j'ai dit : *Je vais les voir.* Je n'avais plus de raison de vivre si mes enfants étaient morts, j'ai décidé d'aller les voir parce que je savais que leur papa était déjà assassiné. J'ai trouvé mes enfants vivants, blessés mais vivants, humiliés oui, mais vivants. Et pour nous, c'était l'essentiel.

Nous avons vécu un moment de bonheur. Malheureusement, encore une fois, je n'ai pas réalisé que c'était la dernière fois que je les voyais. Ils m'ont raconté tout ce qu'ils avaient subi, ils me disaient : *Maman, si tu savais, ils nous ont torturés, nous avons été obligés de reconnaître un cadavre, c'était le cadavre de papa qui n'avait plus qu'une main, et ils voulaient qu'on répète que c'était un militaire du Front patriotique rwandais*[3] *et nous l'avons fait. Pourtant ce sont tous des amis de papa, tous ces gens mangeaient chez nous.* Mes enfants m'ont énuméré les noms. Moi, je n'ai pas voulu leur raconter ma cavale de toutes ces nuits de séparation. J'ai dit : *Vous savez, je ne vous abandonne plus, je reste avec vous.* Mon fils a commencé à pleurer, il a dit : *Maman, je ne veux pas te voir ici, tu dois partir, toi, tu n'as pas de chance de survivre, tu dois partir, nous ne voulons pas assister à ta mort, le cadavre de papa nous a suffi, il a été trahi par ceux qu'il croyait être ses amis. Ils ont frappé beaucoup Nadine en disant qu'elle a les grosses jambes des filles tutsis. Ils ont frappé beaucoup Sandrine en disant qu'elle grandit pour être comme des arbres. Spérancie devait dire où tu étais, nous avons tous affirmé que tu étais morte, parce qu'il y avait deux jours qu'on ne t'avait pas vue. Quand j'ai dit que tu étais morte, un ami de papa a voulu me donner un coup de machette sur la tête, je me suis protégé avec mon bras, c'est comme ça qu'il est coupé.* Mon fils avait une fracture ouverte de l'avant-bras. J'ai voulu l'immobiliser. Il m'a dit : *Maman, ne perds pas ton temps, on nous a dit que si on ne sait pas où tu es, à sept heures du matin, on viendra nous tuer.*

Il était peut-être cinq ou six heures, je ne sais pas. À ce moment-là, on n'avait plus la notion du temps, ni des jours. Rien ne comp-

---

3. FPR (Front patriotique rwandais) : formé d'exilés rwandais voulant rentrer au Rwanda.

tait que la vie ou la mort. J'ai refusé d'abandonner mes enfants, ils essayaient de me convaincre de partir, mais j'ai refusé.

Un ancien jardinier à nous est arrivé, il avait une machette et ne m'a pas tuée. Il m'a dit : *Toi, serpent, qu'est-ce que tu fais ici ? Il faut partir, tu vas faire tuer tes enfants. Si tu n'es pas là, tes enfants ont peut-être une chance de survivre, mais s'ils te voient, ils vont les tuer avec toi.* Et je suis partie en espérant que mes enfants auront la vie sauve. Aujourd'hui je me dis que si je n'étais pas partie, mes enfants seraient peut-être encore en vie. Je me sens comme une mère indigne, qui a abandonné ses enfants devant la mort.

Je suis allée chez un autre bon ami, Déo. Il m'a chassée. Je lui ai dit : *Déo, tu ne peux pas me cacher ?* Il m'a répondu : *Non*, mais il n'a pas osé me regarder en face et il est parti « au travail » avec sa machette. Une fille est sortie des appartements de Déo et m'a dit : *C'est toi qu'on pourchasse ? Mais tu m'as sauvé la vie. Moi je vais te cacher. Je m'appelle Emmanuelle, tu m'as soignée quand tous les médecins me prenaient pour une hystérique.* Je me suis dit : *Pour une fois, quelqu'un reconnaît que j'ai fait quelque chose de ma vie !*

Emmanuelle m'a cachée sous un double évier en béton. Je devais faire passer les tuyaux d'évacuation entre mes jambes, courber ma tête en avant pour que je puisse entrer et qu'elle puisse fermer les deux portes à glissière. J'y ai passé onze jours. Je n'ai jamais pensé que je pourrais tenir à nouveau debout. Pour moi j'allais rester paralysée. Pendant ces onze jours, j'ai tout vécu. J'ai vécu le chagrin. Par moments, j'ai vécu la folie. J'ai compris l'abandon. Je me demandais ce que nous avions pu faire pour que le monde entier nous abandonne comme ça, seuls, en face de nos bourreaux ? J'ai eu le temps aussi de prendre des décisions. Même si je n'espérais pas la survie à ce moment-là. Je me disais : *Je vais témoigner.* Même si je ne savais pas que je serais devant vous ce soir. Il est vrai que c'est très dur de répéter tout le temps mon témoignage mais je sais que rien ne pourra jamais m'arrêter. C'est la seule chose que je peux faire pour les miens et pour l'humanité. Je me suis dit : *Je le dirai* et je me demande aujourd'hui qui peut me faire peur. Quoi ?! La mort, je la connais tellement, je l'ai côtoyée tellement, j'ai été humiliée, j'ai tout subi. Rien ni personne n'arrivera jamais à me faire taire. Je le dirai jusqu'à la fin de ma vie. Je préfère m'évanouir devant vous que de me taire.

Grâce à quelques dollars que j'avais encore, Emmanuelle est allée soudoyer un militaire pour me faire quitter le quartier. Il lui disait : *Si c'est une Tutsi, je la tuerai moi-même.* Quand il m'a regardée, il a dit : *C'est une Tutsi mais j'ai reçu son argent, elle sera tuée par quelqu'un d'autre, je vais lui faire quitter le quartier.* J'ai été obligée de fuir avec Emmanuelle sinon elle aussi aurait été tuée pour avoir voulu sauver la vie d'une Tutsi. Arrivés à la paroisse Emmanuelle est partie avec le lieutenant. Quelques jours après, Emmanuelle est revenue avec sa sœur Murielle qui était sergent gendarme. Elle est venue me faire quitter la paroisse. Elle me pointait une arme dans le dos et me faisait marcher. Je pensais qu'elle m'emmenait à la mort. Elle m'a dit : *Ne t'inquiète pas, je viens pour te sauver la vie, n'oublie pas de dire aux militaires qui sont avec moi que tu es ma tante.* Je suis sortie et me suis retrouvée assise dans ce véhicule de militaires, avec des militaires autour de moi qui rigolaient du génocide. Ces assassins ! J'ai découvert la ville de Kigali, cette ville nue, la ville des milans, la ville des assassins et des cadavres, la ville des chiens errants, parfois avec de la chair humaine dans la gueule. J'en voulais à ces arbres qui ne diront jamais ce qui s'est passé. J'en voulais au soleil qui brillait sur ce pays. J'en voulais à tout. Murielle me conduisait chez son chef, un colonel de l'armée qui faisait le génocide. Pour moi, j'allais tout droit à la mort. Je ne sais pas comment je n'ai pas été tuée par ce colonel et encore moins comment je n'ai pas été violée par lui. Je ne comprends toujours pas, surtout quand je vois ce que les autres femmes et les enfants du Rwanda ont subi et qu'aujourd'hui, une maman et sa fille meurent du sida d'un même homme violeur. Je me dis : *Pourquoi pas moi ?* Je ne comprends pas et je me considère comme la privilégiée des survivants de ce génocide. C'est peut-être grâce à Emmanuelle, qui ne m'a jamais abandonnée, et aussi grâce à un petit chantage que j'ai fait au colonel. Il nous a conduites à un camp de réfugiés, la Paroisse Saint-Paul. Emmanuelle m'avait acheté une carte d'identité hutu. Elle me disait : *Je sais que ce n'est pas ton nom, je sais que ce n'est pas ta photo, mais ils ne regardent plus tout ça, ils regardent la mention hutu ou tutsi pour être sauvé ou tué.* Ainsi je me suis fait enregistrer sous une fausse identité, surtout que la liste était remise au préfet de la ville de Kigali. Ce qui fait que les assassins venaient avec la liste et emportaient vers la mort qui ils voulaient. Quand nous étions là, il y a eu des accords entre le gouvernement génocidaire et les rebelles, pour échanger des prisonniers. On nous disait qu'ils échangeaient les Rwandais qui étaient dans la zone des rebelles contre les cancrelats qui étaient dans la zone du gouvernement et j'étais parmi ces cancrelats. Nous étions tout sauf des êtres humains. Grâce à un ami, j'ai été conduite à l'hôtel des Mille Collines, l'hôtel de la Sabena, par des casques bleus africains qui étaient encore là. Je n'y ai passé qu'une nuit. Le matin, dans le hall de l'hôtel, on était en train de lire la liste des gens à évacuer vers la zone rebelle, et qui je vois ? Je vois Spérancie, Spérancie, ma nièce, celle qui était avec mes enfants. Elle était toute seule, sans mes enfants. J'ai dit : *Spérancie, où sont mes enfants ?* Elle a baissé les yeux et j'ai compris. J'ai compris que mes enfants avaient été assassinés, mon corps m'avait fait savoir que mes enfants avaient été assassinés, mais je ne le croyais pas. Je ne le croyais pas. Je le sais aujourd'hui, mais je les attends encore. J'attendrai toujours mes enfants jusqu'à la fin de ma vie. Spérancie m'a dit : *Mais tante, est-ce que Emmanuelle ne t'a pas dit ? Juste après ton départ, des assassins sont arrivés, ils nous ont obligés à nous déshabiller, ils disaient que tout ce que nous avions appartenait aux Hutus. Ils nous ont fait sortir et mis sur une file, toi seule manquait. Nous avons été conduits jusqu'à la fosse et ton fils était devant, son regard me hante encore avant qu'il ne reçoive un coup de machette sur la nuque et qu'il soit poussé dans la fosse. Sandrine a subi la même chose mais Nadine n'a pas attendu, elle s'est précipitée vivante dans la fosse d'où elle a continué à m'appeler : «Spérancie, fuis très loin, va chercher maman, dis-lui de me pardonner, j'ai eu peur de la mort et de la machette, je me suis jetée vivante dans la fosse». Elle a continué à me parler jusqu'au moment où elle a commencé à délirer. J'ai supplié pour qu'on me tue, mais on a refusé. Quelqu'un a dit : «Ce n'est pas l'enfant de Muganga je la connais, c'est son employée». Entre-temps, Nadine m'appelait, délirait et à la fin, elle ne me parlait plus, on avait continué à jeter des cadavres au-dessus d'elle. Tante, pardonne-moi, je t'ai fait le plus grand mal, je n'ai pas pu protéger tes enfants.*

Yolande se lève, avance, lève la main... et dit :

Que ceux qui n'auront pas la volonté d'entendre cela, se dénoncent comme complices du génocide au Rwanda. Moi, Yolande Mukagasana, je déclare devant vous et en face de l'humanité que quiconque ne veut prendre connaissance du calvaire du peuple rwandais est complice des bourreaux. Je ne veux ni terrifier ni apitoyer, je veux témoigner. Uniquement témoigner. Ces hommes qui m'ont fait subir les pires souffrances je ne les hais ni les méprise, j'ai même pitié d'eux.

2. MUTUNGE

Le maître musicien Muyango interprète cette composition qui date de 1966, écrite par Twahirwa Ladislas, témoignant des pogroms de 1959. Ce chant et la partie suivante, Le Chœur des Morts, *forment un seul moment.*

MUYANGO.–

Sinzakujyana i Kibungo, Mutunge
Habaye iw'abandi
Buganza yo, yabaye amatongo
Na Muhazi yaba yarakamye
Hehe n'Umutara, Mutunge

Sinzakujyana i Kigali, Mutunge
Habayo Pilato
Nyabarongo, yabaye rwa Bayanga
Nyabugogo yajemo ingona
Hehe n'Umuhima, Mutunge

Hali na Byumba mwumvaga, Mutunge
Haba imbeho nyinshi
Abahima barahimutse
Hasigaye hahuma impyisi
Hehe ibyishongoro, Mutunge

Umurwa Nyanza, Mutunge
Wabaye rw'ibikongoro
Za nyamunsi n'amatanangabo
Hasigaye havuga inkona
Hehe n'ingoma, Mutunge[4]

---

4. T'amènerai-je à Kibungo, Mutunge
Ce n'est plus chez nous
Tout le Buganza est dévasté
On dit même que le Muhazi serait asséché
Adieu le Mutara, Mutunge

T'amènerai-je à Kigali, Mutunge
Tu risques d'y rencontrer Pilate
De la Nyabarango, ils ont fait un tombeau ouvert
Comme le Rwabayanga
Et la Nyabugogo est désormais infestée de crocodiles
Adieu le Muhima, Mutunge

Tu as dû entendre parler de Byumba, Mutunge
Il y fait tellement froid
Tu n'y trouveras plus les Himas
On n'y entend plus que les ricanements des hyènes,
Adieu les odes ibyishongoro, Mutunge

La cité de Nyanza, Mutunge
Ils l'ont changée en cité
De vautours et autres oiseaux de proie
Adieu au tambour, Mutunge

Nkaba ngeze i Butare, Mutunge
Aho sintindeyo
Bwanamukali, Bashumba Nyakare
Ndara, Busanzana Mvejuru
Habaye amatongo, Mutunge[5].

5. Me voici arrivé à Butare, Mutunge
   Là je ne m'attarderai pas
   Le Bwanamukali, Bashumba-Nyakare,
   Ndara, Busanza et le Mvejuru
   Tout n'est que désolation, Mutunge

3. LE CHŒUR DES MORTS

Petit à petit l'orchestre européen se joint à la voix de Muyango, qui va reprendre le chant ad libitum, alors que les Morts envahissent la salle en s'adressant au public. La parole de ces morts, le chant, l'orchestre, et des voix enregistrées, se tissent en un vaste ensemble polyphonique. La durée du témoignage du Mort 1 fixe à peu près celle de l'ensemble, où les autres, par contre, se répètent à plusieurs groupes de spectateurs différents. Pendant tout ce temps la rescapée reste en scène.

MORT I.– Mon nom est Cyrdy Cyrin Cyezamitima Rugamba, je suis le cinquième fils d'une famille qui compte dix enfants. En 1994, au moment du génocide des Batutsi, j'avais 16 ans ; nous habitions à Kigali.

Dans la nuit du 6 avril 94, nous avons appris l'écrasement de l'avion de Habyarimana.

Papa était particulièrement soucieux ; il semblait craindre quelque chose de monstrueux, peut-être la solution finale prêchée par Léon Mugesera[6] dans un meeting du MRND[7], peut-être la fin des Batutsi brandie jadis par Grégoire Kayibanda[8].

Personnellement, je n'avais pas une telle lucidité ; le peu que j'avais appris de l'histoire me poussait à croire que l'humanité avait tiré des leçons du sacrifice des Juifs ; que le monde moderne, l'ONU ne pouvaient souffrir un autre génocide. Plus jamais cela n'allait se répéter avions-nous appris.

Le lendemain pourtant vers dix heures, une vingtaine de soldats de la garde présidentielle frappa à notre portail, ils hurlaient à mon père d'ouvrir, ce qu'il fit.

Il pleuvait ce matin-là. Pendant que les soldats s'abritaient à l'intérieur, ils nous ordonnèrent de les attendre dehors, dans le jardin.

---

6. Le 22 novembre 1992, Léon Mugesera, vice-président du MRND dans la préfecture de Gisenyi pronça pour les militants du MRND un discours qui était un véritable appel explicite au génocide.

7. MRND : Mouvement révolutionnaire national pour le développement, parti unique jusqu'en 1991, créé en 1975 par Juvénal Habyarimana, et dont chaque Rwandais était membre dès sa naissance.

8. Grégoire Kayibanda : élu en 1962 président de la Iʳᵉ République, ancien séminariste, ancien secrétaire particulier de monseigneur Perraudin, vicaire apostolique du Rwanda. Il sera destitué en 1973 par le coup d'état militaire dirigé par Juvénal Habyarimana.

La pluie cessa, l'un d'eux vint vers nous, agrippa mon père par la chemise et commença à le tabasser ; un coup violent l'atteignit dans les parties génitales, il tomba à genoux. C'était insupportable. J'étais furieux !

J'étais furieux et j'avais peur.

Ma mère effrayée depuis le début commençait à pressentir l'issue de tout cela ; notre sort était scellé ; ces soldats étaient venus pour nous tuer. Elle demanda alors à l'un d'entre eux qu'on nous laisse prier une dernière fois ensemble. Un coup de crosse lui brisa la nuque pour toute réponse ; elle s'écroula sur le sol.

Les soldats nous entassèrent alors tous dans un coin du jardin, contre le mur de la clôture. Nous formions un groupe compact de onze personnes : mon père, ma mère, mes trois sœurs Émérita, Cyrdina et Ginny ; mes trois frères Serge, Landri et Dacy ; notre petite-nièce Marina, l'autre Émérita notre bonne et moi. En retrait se tenait Évariste notre veilleur, il avait été retiré du groupe ; c'était un Mutwa.

En face de nous, l'air impitoyable, deux soldats nous tenaient en joue avec deux mitraillettes.

Le soleil était revenu, les soldats souriaient, un silence s'installa.

Puis subitement, les deux mitraillettes crépitèrent, des corps tombaient les uns après les autres. Assommé, je m'abattis sur le sol également, j'étais mort.

Mon cœur continuait à battre pourtant ; le vacarme avait cessé, je recouvrai mes esprits petit à petit. Péniblement, je me relevai ; c'est une fois debout que je vis horrifié mon père, ma mère, mes frères et sœurs, ma nièce, la bonne ; tout autour de moi, leurs corps gisaient inanimés dans une mare de sang.

Sans comprendre pourquoi, moi j'étais toujours en vie ; je n'étais pourtant pas le seul. Dans mon dos, ma sœur Émérita venait de se relever et commençait à pleurer.

Soudain, des pas de bottes dans l'entrée ; les soldats étaient de retour. Nous plongeâmes sans réfléchir dans les corps.

Un soldat nous cria *Relevez-vous, nous vous avons vus* ; j'aplatis ma face contre terre ; le soldat m'enjamba, il avait remarqué ma sœur. Il lui tira une longue rafale dans le dos, je retins mon souffle.

Pétrifié, je sentis une main calleuse m'empoigner la nuque et me relever. Un visage haineux me toisait triomphant!

D'un geste lent, il posa le canon froid d'un pistolet sur ma tempe.

Un coup partit, ma tête éclata en deux, ma cervelle s'échappa au dehors, mon corps sans vie s'échoua sur ce qui restait des miens, un monticule de corps sans vie.

C'était le 7 avril 1994 au matin.

MORT 2.– Avant le génocide de 1994, je vivais à Mukingi à Gitarama. Nous étions une famille de cultivateurs avec sept enfants. J'avais 18 ans et j'étais la deuxième.

Le jour de la mort du président Habyarimana, nous avons vu nos voisins sortir avec des machettes. Nous nous sommes enfuies, ma sœur et moi.

Nous nous sommes cachées dans une fosse devant le réfectoire de l'école. Mais la nuit, il a beaucoup plu, nous avons failli nous noyer.

Alors le lendemain, nous sommes parties nous cacher dans la brousse. Là nous avons retrouvé un cousin qui avait une carte d'identité hutu. Il nous a emmenées dans une maison en construction qui appartenait à un garçon qui s'appelait Ndahayo. Il était sensé ne pas nous faire de mal. Mais la nuit, quand ma sœur dormait, il est entré dans notre chambre et m'a dit que je devais accepter tout ce qu'il me ferait, il avait un fusil et une grenade... et il m'a violée.

Le lendemain mon cousin est venu nous chercher pour nous cacher dans les bananeraies. Là, les miliciens nous ont trouvées, et ils nous ont violées ma sœur et moi. Avant de partir ils nous ont donné des coups de machette sur les jambes puis ils nous ont laissées là. J'ai saigné beaucoup, j'avais très soif, j'ai perdu conscience et je ne sais pas exactement comment je suis morte.

MORT 3.– J'étais avec deux de mes enfants. J'ai supplié mes bourreaux pour qu'ils me tuent avant eux. Ils ont refusé en disant que mes enfants étaient plus dangereux que les adultes. Il fallait donc les éliminer en priorité. Je connaissais mon bourreau, il me connaissait aussi. Il m'a répété qu'il fallait tuer les enfants pour arrêter à la base la reproduction des Batutsi. On gisait par terre en agonie. On sollicitait quelqu'un pour nous achever mais personne ne répondait. Nous voulions seulement éviter une mort atroce et lente. On m'avait coupé les doigts, arraché un œil et donné des coups de machette sur une tempe et sur tout le corps et j'ai passé trois jours étendue sur le sol avant mon dernier souffle.

MORT 4.– Je m'appelle Joseph.

Depuis longtemps, j'habitais une petite pièce dans le haut de la ville que je partageais avec mon camarade de classe, Paul. Le lendemain de l'accident de l'avion du président Habyarimana, un groupe de gens fit irruption dans notre petite maison et ils ordonnèrent à Paul de me tuer avec une hache : il refusa ! On lui dit : *Frappe sinon vous mourrez ensemble.*

Alors, il me frappa fortement sur la nuque et je m'écroulai sur le sol. Il vit le sang couler et il partit, honteux, avec ceux de son camp. On l'emmena afin de faire de lui un tueur en série. Il revint la nuit pour me soigner mais c'était trop tard. Il a pris mon corps et il est allé m'enterrer dans la bananeraie, tout près de notre maison.

MORT 5.– Je ne finirais jamais de compter les malheurs qui se sont abattus sur moi pendant cette période là. Ils sont infinis. Je ne saurais même pas par où commencer. Je pourrais seulement dire que les animaux sauvages ne sont pas seulement ceux qui vivent dans la jungle !

Et pour cause : cinq Interahamwe[9] parmi lesquels figurait mon domestique que j'avais toujours traité comme mon propre fils, sont venus chez moi.

Ils ont violé à tour de rôle, sous mes yeux, mon épouse bien-aimée sans que je puisse faire quelque chose pour elle.

Et la pauvre n'a pu survivre à ce viol collectif.

Et puis ils m'ont dit : *Espèce d'égoïste ! Pourquoi jusqu'ici ne nous as-tu pas fait goûter à ce plat délicieux ?*

Ils ont tué mon bébé et lui ont amputé les bras. Ils me les ont offerts en parodiant Jésus-Christ : *Tiens,* m'ont-ils dit, *mange-les, ceci est mon corps livré pour vous les Batutsi en rémission de vos péchés innommables, tu feras cela en mémoire de nous.*

---

9. Interahamwe : «ceux qui travaillent ensemble », présenté comme le *mouvement de jeunesse du* MRND, première milice civile créée officiellement pour des tâches d'intérêt général et qui prit une part essentielle dans l'exécution du génocide, lui-même appelé *travail.*

Fiers de leurs exploits ils sont partis après m'avoir dit : *Meurs de chagrin, nous reviendrons demain pour t'envoyer là où sont partis ta femme et ton bébé.*

Après la fusillade, un milicien interahamwe est venu pour fouiller avec ses deux mains les cadavres autour de moi. Il a trouvé une carte d'identité d'un homme hutu, il s'est tourné vers moi et m'a demandé : *Est-ce que cette carte est à toi, pour que je te sauve ?* Et moi qui pendant tout ce temps avais fait semblant d'être mort, je lui ai répondu : *Je n'ai plus de jambes, ma tête est cassée par un coup de marteau. Si vous voulez me sauver, alors tuez-moi. Je ne suis pas Muhutu, je suis un Mututsi.*

L'Interahamwe est parti. Il préférait sans doute que je meure en souffrant longtemps.

MORT 6.– Je m'appelle Josiane, je suis métisse Rwandaise, avant le génocide je vivais à Gisenyi, avec mon mari, métis également, mais de nationalité canadienne, et nos trois enfants : deux garçons, de 14 et 13 ans, et notre petite fille de 5 ans.

En mars 1994, mon fils aîné est tombé gravement malade. Il était totalement impossible de le soigner au Rwanda.

Ma sœur m'a proposé de l'emmener en Belgique.

Nous devions nous rendre à Kigali pour établir les documents nécessaires au départ de notre enfant.

Le 4 avril nous sommes partis en minibus.

Ma petite fille ne voulait pas que je parte, elle pleurait et me disait de faire attention, qu'il allait m'arriver du mal, j'ai cru que c'était un caprice d'enfant. Je l'ai embrassée et nous sommes partis.

Nous sommes arrivés à Kigali sans aucun problème.

Le 6 avril, dans l'après-midi, toutes nos démarches accomplies, nous avons repris le minibus pour la maison, ce devait être quelques heures avant qu'on abatte l'avion du président.

J'étais inquiète et avais hâte de retrouver les enfants.

À environ trente kilomètres de Gisenyi nous avons entendu des coups de feu et puis nous avons vu devant nous un groupe d'Interahamwe, j'ai senti tout mon sang se glacer. Le chauffeur s'est arrêté, ils ont ouvert les portières du minibus et nous ont obligé à sortir.

Ils nous ont divisés en deux groupes, les Batutsi d'un côté, les Bahutu de l'autre.

Nous étions avec les Batutsi, mon mari leur a montré son passeport canadien.

Pour toute réponse ils ont ri et lui ont tiré une balle dans la tête lui disant qu'il n'était rien qu'un blanc raté.

Je me suis mise à hurler, je ne pouvais plus me contenir, je les ai insultés, j'étais comme folle.

Un d'entre eux s'est approché de moi, il m'a giflée, puis à commencer à me battre, me disant que je n'étais rien, ni blanche, ni noire, juste une bâtarde Mututsi.

Il m'a jetée par terre, et m'a dit : *je vais te montrer ce que c'est un homme.* Il voulait me violer, je me suis débattue, c'est alors qu'il a brandi une machette et a commencé à me frapper, à me frapper à mort.

Ma petite fille l'avait pressenti, je ne pouvais pas comprendre[10].

À la fin, rassemblés en une grande rangée sur le plateau, Yolande au milieu d'eux (celle qui aurait dû mourir), les Morts se ferment eux-mêmes les yeux et concluent :

LE CHŒUR DES MORTS.–

Narapfuye, baranyishe. Sindaruhuka, sindagira amahoro.

Je suis mort, ils m'ont tué.
Je ne dors pas, je ne suis pas en paix.

---

10. Chacun de ces récits a été composé par les acteurs rwandais de la création, à partir de cas connus ou vécus dans leurs familles ; le sixième récit est celui d'Estelle Marion, métisse rwandaise, qui remplaça Carole Karemera pendant une période.

Deuxième partie

MWARAMUTSE[11]

---

11. Salutation matinale (littéralement : « As-tu passé la nuit ? »).

L'immense mur de terre rouge du Rwanda, seul élément de scéno-
graphie essentiel du décor, s'ouvre et dévoile un écran. Des images
du monde entier défilent accompagnées de commentaires en
diverses langues : sport, message papal contre l'avortement, Opéra
de Pékin, discours du président François Mitterrand, pèlerinage à
La Mecque... Chaque séquence de ce montage est soudain per-
turbée, brouillée, pour faire place à un visage de femme, d'homme
ou d'enfant africain. Ces « fantômes électroniques » nous parlent
dans une langue incompréhensible.
Nous sommes dans une émission de télévision spéciale Mwaramutse 1995, *animée par la journaliste-vedette Bee Bee Bee et son*
assistant Paolo Dos Santos.

FEMME.‒

Mwaramutse?

Mwaramutseho?

Ndavuze nti *mwaramutse.*

Mutamenye se hari icyo bintwaye; njye ko mbazi.

HOMME.‒

Ndakwanga ntivamo ndagukunda kandi *inda*
yuzuye umujinya uyiha amata ikaruka amaraso.

HOMME.‒

Uraseka! Uraseka!

Unyeretse ibwene, nzakwereka muzitsa.

PETIT GARÇON.‒

Mama, reka gukina mama, reka gukina!

Mama, mama.

Mama, reka gukina.

Mama, ibi ni ibiki ugira mama?

Mama, mama, reka gukina mama, reka gukina!

HOMME.‒

Umutima wari wamvuyemo.

Uwo Mututsikazi n'abana be, banguye mu
maso mbona. Ariko se ngire nte?

Njyewe Ndutiye... nari nagerageje guhisha
umwana wa Kaburamajyo; badutemera hamwe
badasize nyina n'abana.

Bamboheye inyuma, bangenza batyo.

Urw'agashinyaguro.

BEE BEE BEE.– Mesdames et Messieurs, nous poursuivons notre émission mais je tiens d'abord à saluer en cet instant les dizaines de millions de téléspectateurs africains qui, grâce à TV5, viennent de nous rejoindre pour ce programme exceptionnel de l'UER, l'Union européenne de radiodiffusion. Bienvenue sur cette antenne. Je leur présente notre collaborateur portugais, Paolo Dos Santos.

DOS SANTOS.– Bonsoir, bonsoir à tous.

BEE BEE BEE.– Paolo qui a réalisé pour nous cette séquence, sélectionnant parmi plusieurs milliers quelques-unes de ces interventions typiques, de ces «messages parasitaires», ces «fantômes électroniques» – pour reprendre le mot de la presse – qui perturbent les ondes depuis plusieurs semaines. Paolo?

DOS SANTOS.– Disons que tout semble commencer le 7 avril 1995, curieusement au Brésil, où l'on signale la perturbation de plusieurs centaines de communications téléphoniques en fin d'après-midi. Depuis cette date, du téléphone ou de l'ordinateur du particulier, de la cabine de pilotage d'un avion long courrier jusqu'aux grands centres boursiers, en passant par les satellites militaires ou civils, tous les moyens de communication, je dis bien : tous les moyens de communication, semblent avoir été affectés par ces «messages» parasitaires. C'est, naturellement, leur apparition dans les programmes de télévision qui a le plus choqué la grande masse des citoyens.

BEE BEE BEE.– Merci Paolo. Le premier instant de stupeur passé, la langue des apparitions a été rapidement identifiée : le kinyarwanda, c'est-à-dire la langue en usage dans ce petit pays d'Afrique centrale durement éprouvé d'abord par la guerre de 1990 puis par le génocide de 1994. *(sur l'écran, un intellectuel africain assez âgé mais parfaitement alerte, dans un décor de couloirs misérables et de vitrines de livres brisées)* Une équipe de chercheurs, patronnée par le Conseil de Sécurité de l'ONU, traduit depuis trois semaines les déclarations de ces apparitions. Le responsable de ces travaux, monsieur Kamali, linguiste, membre de l'Institut de

Recherche scientifique et technologique du Rwanda est en liaison avec nous. Monsieur Kamali, bonsoir.

KAMALI.– Bonsoir, madame Bee Bee Bee, bonsoir du Rwanda.

BEE BEE BEE.– Nous vous remercions d'être avec nous depuis votre département de recherches à Butare. Bonsoir.

KAMALI.– Bonsoir, bonsoir. Bonsoir à tous.

BEE BEE BEE.– Je propose à nos téléspectateurs de découvrir sans plus tarder votre traduction de ces messages parasitaires.

La séquence montée du début repasse, légèrement raccourcie, centrée sur les « fantômes électroniques » cette fois sous-titrée.

FEMME.–

    Bonjour !
    Hé ! Bonjour !
    J'ai dit : *bonjour, vous autres !*
    Ah ! Vous ne me reconnaissez pas ! Ça m'est égal.
    Moi je vous connais !

HOMME.–

    «Je te déteste» n'a jamais donné «je t'aime»
    Et puis, *un ventre plein de colère tu lui donnes du lait,*
    il vomit du sang.

HOMME.–

    Tu rigoles ! Tu rigoles !
    Tu me montres ta canine,
    je te montrerai ma dent de sagesse.

PETIT GARÇON.–

    Maman, arrête de jouer maman, arrête de jouer ! Maman, maman. Arrête de jouer.
    Qu'est-ce que tu fais maman ?
    Maman, maman, arrête de jouer maman, arrête de jouer !

HOMME.–

    J'étais mort de peur.
    Cette femme tutsi et ses enfants
    ont été tués devant mes yeux.
    Là devant moi !

Mais que puis-je faire ?
Moi Ndutiye, j'avais essayé de cacher
un enfant de Kaburamajyo.
Ils nous ont coupé en morceaux ensemble.
Sans oublier cette femme et ses autres enfants.
Ils m'ont lié les mains derrière le dos,
avant de me traiter ainsi.
Torture et humiliation, jusqu'à la mort.

Fin de la séquence, retour au duplex.

BEE BEE BEE.– Je suppose que vous êtes comme moi, perplexes. À l'exception de la dernière intervention, où je comprends qu'un Hutu a tenté de protéger une femme tutsi et a été assassiné pour cette raison, les autres messages – si message il y a – me paraissent parfaitement obscurs. Et si j'essaie de définir un peu mieux mes propres sentiments, je dirai que je suis à la fois émue, troublée, angoissée même, puisqu'aussi bien je sens que l'on doit sûrement me communiquer là quelque chose d'important, d'essentiel peut-être, mais que le sens m'en échappe totalement.

Monsieur Kamali, voulez-vous venir à notre secours ?

KAMALI.– Dans la mesure de mes faibles moyens certainement, Madame. Mais je vous prie de bien considérer que, pour être Rwandais, je n'en suis pas moins, tout comme vous, devant un phénomène sans précédent.

Ceci posé, je vous dirai trois choses.

Premièrement. Non seulement notre langue, le kinyarwanda, fait un abondant usage de métaphores, proverbes, sentences, qui substituent au message explicite des «images», mais la culture rwandaise tout entière préfère l'allusion à l'expression directe. Je vais vous donner un exemple extrême, mais éclairant. Le mot «viol» n'existe pas dans notre langue. Dieu sait, hélas, que la chose existe pourtant bien chez nous aussi, et qu'elle a connu une extension monstrueuse pendant le génocide. Mais nous n'avons pas le mot. Cette absence signifie d'abord qu'un Rwandais répugne à évoquer pareille réalité, ensuite que s'il se trouve absolument contraint à le faire, il lui faut employer des formes dont l'interlocuteur devinera le sens, mais incompréhensibles à un étranger.

Deuxièmement, de nombreuses interventions deviennent plus intelligibles quand nous pouvons identifier les morts, et mieux encore : quand nous connaissons leur personnalité, leur situation sociale, et si possible, c'est souvent décisif : les circonstances de leur décès. Malheureusement, comme vous le signalait, avant cette séquence, monsieur Dos Santos, les fantômes électroniques clairement identifiés sont la minorité. Vous le savez, nous considérons ici, au Rwanda, que le génocide a fait plus d'un million de victimes... Et l'identification de ces victimes...

BEE BEE BEE.– Monsieur Kamali! Vous expliquez au mieux comment et pourquoi votre travail est difficile. Mais pourriez-vous au moins nous déchiffrer quelque chose?

KAMALI.– Bien sûr. Il y a, par exemple, dans la séquence que vous avez présentée, un jeune enfant qui répète sans cesse : *Maman, arrête de jouer! Maman, s'il te plaît, arrête maintenant*, etc.

Cet enfant a été identifié, notamment par sa mère, une pauvre femme qui suit actuellement un traitement pour traumatisme mental.

Voici les faits. Cette femme, à l'approche des miliciens interahamwe, a caché son petit garçon après l'avoir déguisé en fille, pensant – sans doute à tort – qu'elle augmenterait ainsi ses chances de survie. Les tueurs ont trouvé l'enfant et éventé la supercherie, puis ils ont obligé cette mère à enterrer vivant cet enfant. Les mots que vous avez entendus : *Maman s'il te plaît*, etc. sont ceux qu'il a répétés pendant tout le temps où elle a jeté de la terre sur lui.

Un petit silence.

BEE BEE BEE.– C'est terrible.

KAMALI.– Itsembabwoko.

BEE BEE BEE.– Je vous demande pardon?

KAMALI.– Itsembabwoko, c'est-à-dire dans ma langue : génocide. Il s'agissait d'un génocide, madame Bee Bee Bee.

BEE BEE BEE.– Oui... Je vois maintenant pourquoi il vous faut connaître davantage vos morts. Je comprends pourquoi cet enfant répète cela. Ses derniers mots. C'est horrible, mais clair. Oui... Oui...

DOS SANTOS.– Si vous permettez... Monsieur Kamali, toutes les apparitions ne nous parlent pas de leurs derniers instants sur terre, je pense. Certains messages...

KAMALI.– Vous avez raison, c'était mon troisième point. Les morts sont en colère. Voilà. Si vous me demandez ce que je comprends, je crois qu'on peut résumer cela ainsi, un peu sommairement, mais sans trahir : ils sont fâchés. Très fâchés.

La plupart des images, la plupart des dictons expriment ce sentiment. Certains contiennent même des menaces implicites.

DOS SANTOS.– Lesquels, par exemple ?

KAMALI.– Oh, presque tous. Par exemple : *Tu me montres ta canine, je te montrerai ma dent de sagesse* ce qui se traduirait assez bien par votre : *Rira bien qui rira le dernier.* Vous voyez ?

BEE BEE BEE.– À qui en veulent-ils, monsieur Kamali ? Et de quoi nous menacent-ils ?

KAMALI.– Loin de moi l'idée de vous critiquer, Madame. Mais il me semble que vous faites les questions et les réponses.

BEE BEE BEE.– Moi ? Je ne vous comprends pas.

KAMALI.– Il me paraît que votre : *De quoi NOUS menacent-ils ?* répond déjà à votre : *À QUI en veulent-ils ?* Vous ne croyez pas ? Or, ni moi ni mes morts n'avons rien dit de pareil.

BEE BEE BEE.– Alors ils ne nous en veulent pas ?

KAMALI.– Peut-être.

BEE BEE BEE.– *(rage froide)* Peut-être oui ou peut-être non ?

KAMALI.– Vous avez, je crois, un autre expert invité qui attend son tour, madame Bee Bee Bee, et que vous avez chargé de répondre à cette question. Vous m'avez demandé des traductions, vous m'avez demandé ce que j'en comprends, je ne crois pas m'être dérobé à ces demandes.

traduire = neutre
pas interpréter

BEE BEE BEE.– En effet, et nous vous en sommes tous reconnaissants monsieur Kamali. C'était passionnant. Paolo ?

DOS SANTOS.– Monsieur Kamali ayant eu la gentillesse d'introduire l'invité suivant, je ne vois pas de raison de faire davantage attendre nos téléspectateurs et je crois qu'il est temps d'accueillir madame Colette Bagimont.

BEE BEE BEE.– Certainement.

DOS SANTOS.– Madame Bagimont est de la race de ceux qu'on appelle «les grands reporters», l'honneur de notre profession. Elle est depuis longtemps la correspondante de grands journaux, belges et français, pour tout ce qui concerne l'Afrique des Grands Lacs. Elle a payé de sa personne, en première ligne, lors des guerres qui ont secoué cette région. Elle a bien sûr séjourné régulièrement au Rwanda, avant, pendant et après le génocide. Joignant le courage du journalisme de terrain à l'intelligence du journalisme de réflexion, elle a publié sur ces événements un ouvrage de référence. Madame Bagimont, bonsoir.

BAGIMONT.– Bonsoir monsieur Dos Santos, bonsoir Bee Bee Bee.

BEE BEE BEE.– Bonsoir Colette, et bienvenue sur ce plateau. Nous devons clôturer bientôt cette première émission, celle de demain – toujours avec votre amicale et précieuse collaboration – reviendra longuement sur les origines de la tragédie rwandaise. Mais auparavant, je voudrais avec vous...

Ici, bruits électroniques et image brouillée sur l'écran. Apparaît finalement le visage d'une adolescente africaine, message de « Morte » en direct.

JEUNE FILLE.–
Impinja, abana, abagore, abagabo, abo bantu ba
Rurema, bazize iki? Iryo si itsembabwoko?
Gupfira gushira n'irandurana n'imizi
n'imiganda!

Le visage disparaît, retour sur le plateau. Bee Bee Bee perturbée, Dos Santos revenant précipitamment s'asseoir, Colette Bagimont n'a pas bougé, léger sourire aux lèvres.

BEE BEE BEE.– Eh bien... Eh bien, on a beau se dire que c'est possible, on a beau s'y attendre presque... C'est tout à fait... tout à fait bizarre, n'est-ce pas?

BAGIMONT.– Vous aviez annoncé une émission historique, vous tenez vos promesses.

BEE BEE BEE.– Oui, oui... *(petit rire)* On peut le voir comme ça. Au fait, qui peut nous dire ce que nous voulait cette jeune fille ? Est-ce que Kamali est encore en ligne ? Paolo ?

DOS SANTOS.– Non, Bee Bee Bee. Et je doute qu'on puisse le rattraper facilement, mais je veux bien...

BAGIMONT.– Si vous permettez, je crois pouvoir vous aider à résoudre votre énigme. Cette jeune fille n'apparaît pas pour la première fois et, si j'ai bon souvenir, elle a deux ou trois messages qui reviennent régulièrement. Kamali, précisément, a donné traduction de ses interventions et je pense disposer de cela dans les documents que j'avais amenés à l'appui de l'interprétation que vous me demandiez ce soir.

Elle fouille dans ses papiers.

BEE BEE BEE.– Je crois, Mesdames, Messieurs, qu'il y a trop de coïncidences miraculeuses ce soir, pour que, simplement...

BAGIMONT.– Voilà. L'apparition a insisté sur *Itsembabwoko*, génocide, et je crois que le message, s'il n'a pas varié ce soir, dit donc plus ou moins :

> *Les bébés, les enfants, les femmes, les hommes,*
> *Ces personnes issues du Créateur, Pourquoi ont-elles péri ?*
> *N'est-ce pas un génocide ?*
> *Morts, jusqu'au dernier !*
> *Un génocide qui a arraché jusqu'aux racines*
> *et aux piliers de la vie !*

Un petit temps.

BEE BEE BEE.– Saisissant. Et vous interprétez cela comment ?

BAGIMONT.– Je puis me tromper, et je ne voudrais ni vous vexer ni vous intimider, mais je pense que l'apparition réagit à sa manière à quelque chose que vous avez dit.

BEE BEE BEE.– Moi ? !

DOS SANTOS.– Bee Bee Bee ?

BAGIMONT.– Je crois que, juste avant l'interruption, Bee Bee Bee a innocemment employé une formule toute faite, extrêmement courante, en parlant de «tragédie rwandaise».

J'ai moi-même été légèrement choquée, bien qu'habituée à cette tournure chez les autres journalistes. Et je crois que les morts, je croyais devoir le démontrer difficilement ce soir, je crois que les morts, entre autres choses, ne supportent plus ce langage indéfini, sans victimes et sans bourreaux. Une «tragédie», vous voyez? Qui dit tragédie dit fatalité, destin inéluctable. L'apparition vient d'insister fortement sur la définition du crime : un génocide.

Un temps, bref mais intense.

DOS SANTOS.– Est-ce que vous vous rendez compte que, l'air de rien, vous...

BEE BEE BEE.– Exactement! Je pense que cinq cent millions de téléspectateurs viennent de vivre un événement prodigieux. Car il me semble tout à coup qu'ils viennent d'obtenir sur cette antenne, en direct, une réponse extraordinairement claire à une question que ni les scientifiques ni les militaires n'avaient résolue.

N'est-ce pas vous, mon petit Paolo, qui nous disiez tantôt que si les morts n'étaient pas muets ils étaient probablement sourds?

Si Colette Bagimont a raison, si cette jeune fille est bien intervenue pour me corriger (et je la remercie ici, publiquement, de cette leçon, je suis mille fois d'accord avec elle, malheureuse enfant), si tout cela est vrai... Alors, je le savais, je le savais : ils nous écoutent! S'ils nous écoutent, ils ne parlent pas dans le vide, ils NOUS parlent. Ils n'interviennent pas sur nos ondes pour le plaisir d'affoler le quartier général de l'OTAN, ils nous demandent quelque chose. Colette, vous, dites-nous ce qu'ils demandent.

BAGIMONT.– Je ne crois pas pouvoir accepter une pareille responsabilité. Mais je partage assez largement votre conviction : ils nous entendent, en tout cas partiellement, et sans doute nous voient, et ils exigent de nous, je veux dire de l'humanité tout entière, «quelque chose».

DOS SANTOS.– Madame Bagimont, vos opinions sont connues, vous n'en faites pas mystère. Vous avez dénoncé le régime Habyarimana, vous avez mis en accusation la Belgique, l'ONU, et tout particulièrement la France, pour aveuglement, lâcheté voire complicité avec les génocidaires.

Il marque un temps, à l'écoute, puis grand sourire.

Bon, j'ai employé le terme voulu, n'est-ce pas? Bref, vous pensez que les responsabilités directes et indirectes ne sont pas reconnues et...

BAGIMONT.– Je pense que justice n'est pas faite, monsieur Dos Santos, et qu'on n'en prend pas le chemin. L'État rwandais n'a pas les moyens humains ni financiers de juger tous les criminels, et presque personne ne lui vient en aide dans cette tâche élémentaire. La justice est le préalable à toute réconciliation du peuple rwandais et même à sa reconstruction économique durable. Pas de justice, pas de Rwanda viable à long terme. C'est évident. Et cela, ce ne sont même pas les morts qui nous le réclament, mais tous les survivants du génocide, les rescapés d'abord, bien sûr, mais aussi les petits assassins. Où sont les grands criminels, les pousse-au-crime et leurs parrains européens?

Pour la plupart : libres et riches, monsieur Dos Santos. Libres et riches. Noirs ou blancs, ils sont ici, parfaitement protégés.

BEE BEE BEE.– Vous pensez que les morts interviennent pour que la justice s'exerce au-delà du Rwanda?

BAGIMONT.– Je pense que les vivants devraient l'exiger. Tous les vivants.

DOS SANTOS.– Mais les morts ce qu'ils veulent, selon vous, c'est la justice?

Rien d'autre?

BAGIMONT.– Monsieur Kamali aurait pu vous expliquer qu'on note une évolution sensible des messages. Ceux que vous l'avez prié de traduire appartiennent, je dirai, à la première génération. Celui que votre émission vient de provoquer ressemble aux plus récents. Ils sont plus revendicatifs. Vous aurez peut-être remarqué que la jeune fille n'a pas seulement défini à sa façon le génocide : hommes, femmes, enfants, bébés, elle a aussi demandé : *Pourquoi ont-ils péri?*

Oui, j'estime que ces manifestations doivent nous pousser à réfléchir sur les causes et à en tirer les conséquences. Et cela concerne
l'humanité entière, pas seulement le Rwanda. La justice ? Oui,
d'abord, tout de suite, c'est le minimum vital. Mais si l'on veut que
le célèbre slogan : **Plus jamais ça**, ne reste pas un mot creux, il
nous faut aussi réfléchir au mot de la jeune fille : *Pourquoi ?*

BEE BEE BEE.– *(sur le plateau et sur l'écran)*
    Pourquoi ?
    Nous ne pourrions trouver meilleur mot de la fin.
    Mesdames et Messieurs, je suis extrêmement troublée,
    et je suis sûre que vous l'êtes avec moi.
    Des hommes, des femmes qui sont morts
    nous mettent au pied du mur.
    Ils demandent pourquoi ?
    Ils attendent de nous
    de moi
    un engagement ferme.
    Cet engagement, je le prends aujourd'hui devant vous.
    Et à ceux qui sont morts
    je dis humblement qu'en réponse à leurs souffrances
    je mettrai au service de la vérité
    toute la puissance
    dont je dispose.
    Je donne à chacun
    mort et vivant
    un rendez-vous solennel
    où, bouleversant toutes les habitudes horaires de la chaîne,
    nous chercherons avec impartialité les causes de la cata-
strophe.

Le grand écran s'éteint et le mur de terre rouge se referme.
L'orchestre commence à jouer l'introduction à La Litanie des questions.

Troisième partie

LA LITANIE DES QUESTIONS

Le Chœur des Morts revient en scène, deux Rwandaises tiennent Bee Bee Bee par le bras et l'assoient doucement mais fermement sur une chaise, face au public. Le Chœur se dispose en une rangée derrière elle, Jean-Marie Muyango chante.

1. RTLM[12]

MUYANGO.−

Murabyumve muli menge
Mubirebe mubikenga
Ibyo byuma byamamaza amakuru
Byanduza imitima, ubwenge bukayoba

Intati y'impyisi yiyabiza maka
Tuli mu ndili yazo
Yemwe muramenye

Ni nde uzibagirwa RTLM
Yahamagaye za ntavumera
Ikazibutsa kwica n'impinja
Ngo izo mwumva zibika ejo-bundi zali amagi

MORT 2.−

Écoutez-les, soyez sur vos gardes
Regardez-les, mais méfiez-vous
Ces appareils qui propagent l'information
Ce sont eux qui infectent les cœurs
Et souillent les esprits

Une hyène rusée se met à beugler
à la manière d'une vache
Nous sommes dans leur tanière
S'il vous plaît, soyez vigilants

Qui oubliera RTLM
Elle qui ameutait ces sanguinaires
Les appelant à ne pas oublier
de tuer aussi les nourrissons
Les coqs qui chantent aujourd'hui
hier encore n'étaient que des œufs
Telles étaient leurs paroles

12. RTLM : Radio Télévision libre des Mille collines, station de radio extrémiste créée en 1993, elle deviendra «la voix» du fanatisme ethnique et jouera un rôle très important dans la préparation et le suivi du génocide. Ses bailleurs de fonds étaient tous des membres de l'entourage direct du président Habyarimana.

MORT 2.−

Mais eux, le savent-ils?
et le diront-ils?

MORT 4.−

Diront-ils que
Shingiro fils de Mbonyumutwa[13]
leader du MDR Power[14]
parti extrémiste hutu
a déclaré sur les ondes de RTLM
N'oubliez pas que même
Rwigyema[15] a quitté le pays
sur le dos de sa mère?
Diront-ils que
pour nous les Rwandais
cela signifiait
Aujourd'hui, on a des
problèmes pour avoir
laissé la vie sauve
aux enfants en 59?

MORT 3.−

Diront-ils que
Shingiro
contre qui pèse
une lourde présomption
de crime de génocide
vit librement en Belgique?

MORT 1.−

Parleront-ils du Liégeois
Georges Ruggiu?

13. Dominique Mbonyumutwa : sous-chef hutu en 1959, dans la préfecture de Gitarama. La fausse rumeur de son assassinat déclencha la *Toussaint rwandaise*, le début de la *révolution sociale* et les premiers pogroms contre les Tutsis. Il deviendra le premier président intérimaire de la république en 1961.

14. MDR Power : Mouvement démocratique républicain, issu du Parmehutu qui mena la *Révolution* de 1959. Durant l'année 1993, les partis d'opposition à Habyarimana créèrent des scissions radicales dites *Power* (Hutu Power) selon lesquelles le pouvoir devait être détenu uniquement par la majorité ethnique.

15. Fred Rwigyema, leader charismatique du FPR (Front patriotique rwandais, formé d'exilés rwandais voulant rentrer au Rwanda), général de l'APR (Armée patriotique rwandaise, bras armé du FPR), exilé depuis 1959 en Ouganda, il sera tué dès les premiers jours de l'attaque à partir de l'Ouganda du Nord du Rwanda par le FPR en octobre 1990.

MORT 5.−

Diront-ils qu'il donnait sa voix à RTLM
appelant à la chasse aux Batutsi
aux traîtres Bahutu
aux soldats belges?

MORT 2.−

Diront-ils que RTLM a continué
à diffuser ses messages de haine
pendant le génocide
à partir de la zone dite humanitaire française
la zone Turquoise?

MORT I.−

Parleront-ils du discours
de Léon Mugesera
le 22 novembre 92?

MORT 5.−

Diront-ils qu'il appelait
les Bahutu à renvoyer les Batutsi
chez eux − en Éthiopie −
par le chemin le plus court
la rivière Nyabarongo
car disait-il
Il faut les liquider tous?

MORT 3.−

Parleront-ils du colonel Bagosora
dépêché à Arusha
le 22 décembre 92
pour torpiller les accords de paix
et qui déclara :
Je rentre à Kigali pour préparer l'apocalypse?

MORT 4.−

Parleront-ils du n° 6 du journal Kangura
publié en décembre 90
proposant la nouvelle bible raciste
les dix commandements des Bahutu?

MORT 2.–

Parleront-ils du huitième commandement des Bahutu
Tout Muhutu doit cesser d'avoir pitié des Batutsi?

MORT 3.–

Diront-ils que la couverture
du n° 6 de Kangura
affichait une photo de Mitterrand
C'est dans le malheur
que les véritables amis
se découvrent?

MORT 1.–

Parleront-ils du génocide des Bagogwe
– ces Batutsi des montagnes du Nord –
dans les préfectures
de Ruhengeri et Gisenyi
en janvier et février 1991
en février 1992?

MORT 5.–

Diront-ils qu'après ces massacres
personne ne fut inquiété?

MORT 2.–

Parleront-ils du fax
du 11 janvier 94
du général Dallaire
à l'ONU
resté sans réponse?

MORT 4.–

Diront-ils qu'il demandait
la protection d'un informateur
Jean-Pierre,
important politicien
membre du gouvernement?

MORT 2.–

Diront-ils que Jean-Pierre
avait confié au général Dallaire
que les Interahamwe avaient établi

des listes de tous les Batutsi de Kigali
dans le but présumé de les exterminer ?

MORT 3.—

Diront-ils que Jean-Pierre avait ajouté :
Mon personnel — les Interahamwe —
pourrait tuer
jusqu'à mille Batutsi en vingt minutes ?

MORT 5.—

Diront-ils que les services secrets belges
avaient reçu les mêmes informations ?

2. L'ONU

MUYANGO.—

Murabyumve mulimenge
Mubirebe mubikenga
Ibyo byuma byamamaza
amakuru
Byanduza imitima, ubwenge
bukayoba

Intati y'impyisi yiyabiza maka
Tuli mu ndili yazo
Yemwe muramenye

Loni yahagalikiye abishi
Itabara abanyamahanga
Badusiga twali inshuti zabo
Inkota isigara yikubanga
Bashorera imbwa zabo
barataha

MORT 2.—

Écoutez-les, soyez sur vos
gardes
Regardez-les, mais méfiez-vous
Ces appareils qui propagent
l'information
Ce sont eux qui infectent les
cœurs
Et souillent les esprits

Une hyène rusée se met à
beugler
à la manière d'une vache
Nous sommes dans leur
tanière
S'il vous plaît, soyez vigilants

L'ONU a supervisé les
assassins
et secouru les expatriés
Ceux-ci nous abandonnèrent,
alors que nous étions amis
L'épée dépeça alors de plus
belle.
Ils prirent leurs chiens et
s'enfuirent

MORT 2.–

Diront-ils que les premiers contrats
d'achats d'armes
conclus par le gouvernement Habyarimana
avec l'Égypte
étaient signés par le ministre des Affaires étrangères
Boutros Ghali?

Diront-ils que ces achats d'armes
étaient cautionnés par le Crédit Lyonnais?

MORT I.–

Diront-ils que les livraisons d'armes
ont continué pendant le génocide
à partir de Goma, et dans la zone Turquoise?
Diront-ils que la zone Turquoise
a surtout permis aux génocidaires
de se replier vers le Zaïre?

MORT 3.–

Diront-ils que François Léotard
ministre français de la Défense
lors de sa visite au camp de Nyarushishi
en juin 1994
a serré la main
du préfet de Kibuye
Clément Kayishema
le principal organisateur du génocide dans la région?

MORT 4.–

Parleront-ils
du témoignage accablant
de Janvier Afrika
sur le rôle des soldats français
dans l'entraînement des milices interahamwe?

MORT 5.–

Diront-ils qu'après le massacre
des dix paras belges
la Belgique a retiré son contingent de la Minuar[16]

---

16. MINUAR : Mission des Nations Unies pour l'assistance au Rwanda : force de maintien de la paix établie en 1993 sous les termes des accords d'Arusha.

alors que celui-ci était le mieux armé
et le plus efficace?

MORT 2.−

Diront-ils que le ministre belge des Affaires étrangères
Willy Claes
a déclaré avoir fait pression sur l'ONU
pour le retrait complet de la Minuar?

MORT 4.−

Diront-ils que le 6 avril 1994
il y avait au Rwanda
2 500 casques bleus
et qu'ils ne seront plus que 270
le 21 avril?

Diront-ils qu'ils ne pouvaient
soi-disant
avoir recours à la force?

MORT I.−

Diront-ils que le mandat de l'ONU
leur permettait pourtant de protéger
la population civile
et qu'ils n'ont rien fait?

MORT 2.−

Diront-ils qu'il n'y a pas eu un sou
pour arrêter le génocide
alors qu'il y en a eu instantanément
des milliards pour les victimes
du choléra
dans les camps au Zaïre?

Diront-ils que le gouvernement intérimaire
responsable du génocide
était encore reçu à l'ONU
le 18 mai 94?

MORT 3.−

Diront-ils que la première mission
humanitaire des militaires français et belges
fut d'évacuer les ressortissants blancs

abandonnant aux massacres
des centaines de Rwandais
leurs amis, leurs voisins, leurs employés?

Diront-ils qu'un bureau avait été ouvert
à Nairobi
par les Américains
pour accueillir les chiens et les chats
des expatriés blancs?

MORT 5.−

Parleront-ils de l'évacuation
le 9 avril 94
à l'insu des journalistes
par un avion français
des hauts dignitaires du régime génocidaire
dont Agathe Habyarimana
et ses frères?

3. 1959

MUYANGO.−

Murabyumve muli menge
Mubirebe mubikenga
Ibyo byuma byamamaza
amakuru
Byanduza imitima, ubwenge
bukayoba

Intati y'impyisi yiyabiza maka
Tuli mu ndili yazo
Yemwe muramenye

Reka mbibutse itanu n'icyenda
Nibwo icyorezo cyadutse iwacu

MORT 2.−

Écoutez-les, soyez sur vos
gardes
Regardez-les, mais méfiez-vous
Ces appareils qui propagent
l'information
Ce sont eux qui infectent les
cœurs
Et souillent les esprits

Une hyène rusée se met à
beugler
à la manière d'une vache
Nous sommes dans leur
tanière
S'il vous plaît, soyez vigilants

Permettez que je vous rappelle
cinquante-neuf

Inkongi n'inkota birahoga
Bamenesha abana b'u Rwanda
Abasigaye batsembwa na tsé-
tsé

C'est à ce moment-là que débu-
taient chez nous les pogroms
Le feu et le fer entraient en
scène
Des enfants du Rwanda on été
chassés
et les survivants décimés par
la mouche tsé-tsé

MORT 2.−

Qu'ils n'oublient pas de dire
que nous les Rwandais
nous étions les plus anciens réfugiés d'Afrique.

Qu'ils n'oublient pas de dire
qu'à nos demandes répétées
de retour au Rwanda
la réponse d'Habyarimana a été
à chaque fois
Non vous ne pouvez rentrer
le pays est trop petit
trop pauvre et trop peuplé.

MORT 3.−

Diront-ils que 59
fut d'abord la révolte
d'une élite hutu
contre une élite tutsi?

Parleront-ils
de la volte-face de l'Église
dans les années cinquante
brisant l'alliance
avec les chefs batutsi
et prenant le parti
de la cause ethniste hutu?

MORT 5.−

Qu'ils n'oublient pas de dire
que monseigneur Perraudin
en sera le principal instigateur.

Qu'ils n'oublient pas de dire
que cette volte-face intéressée
de l'Église et de la tutelle belge
a signé notre arrêt de mort.

MORT I.–

Diront-ils que
le sombre avenir du pays
s'est dessiné le 17 novembre 59
à partir de la décision
du colonel belge Guy Logiest
de soutenir lui aussi
la seule cause ethniste hutu ?

LA CHŒUR DES MORTS.– *(ensemble)*

il était entré au Rwanda le 11 novembre
il ne connaissait rien de notre pays
il n'avait lu sur celui-ci qu'un
seul livre

MORT 4.–

Diront-ils
De cette époque
date l'alliance de la machette
et du goupillon ?

MORT 2.–

Diront-ils que trente ans avant le génocide
Grégoire Kayibanda
président de la Ire République
évoquait déjà
l'extermination totale des Batutsi ?

4. LES COLONS

MUYANGO.–

Murabyumve muli menge
Mubirebe mubikenga
Ibyo byuma byamamaza
amakuru

MORT 2.–

Écoutez-les, soyez sur vos
gardes
Regardez-les, mais méfiez-vous
Ces appareils qui propagent
l'information

Byanduza imitima, ubwenge bukayoba

Ce sont eux qui infectent les cœurs
Et souillent les esprits

Intati y'impyisi yiyabiza maka
Tuli mu ndili yazo
Yemwe muramenye

Une hyène rusée se met à beugler
à la manière d'une vache
Nous sommes dans leur tanière
S'il vous plaît, soyez vigilants

Abakoloni bajya guca ibintu
Batwadukanyemo amabuku
Umuhutu bamwita umuhinzi
Umutunzi akaba umututsi
Aho kwitwa bene kanyarwanda

Les colons pour nous diviser
Introduisirent parmi nous les livrets d'identité
Le Muhutu désignant l'agriculteur
L'éleveur devenant Mututsi,
Au lieu d'être appelés tous fils de Kanyarwanda

MORT 2.– *(en gras : tous les Morts du chœur ensemble)*
Qu'ils n'oublient pas de dire
que parmi
les cinq frères de mon père
trois ont été **désignés Batutsi**
parce qu'ils possédaient
plus de dix vaches
et deux, Bahutu
parce qu'ils en possédaient
moins d'une dizaine ?

MORT 5.–
Qu'ils n'oublient pas de dire
que pour eux les Batutsi étaient

MORT 3.– les descendants de Cham

MORT 4.– ceux de Noé

MORT 2.– des Tibétains

MORT I.– des Éthiopides

MORT 5.– une race de seigneurs

MORT 3.– la race hamitique

MORT 4.– les Juifs de l'Afrique.

MORT 5.– Le Mututsi était

MORT 3.– noble

MORT 4.– envahisseur

MORT 2.– féodal

MORT 1.– éleveur

MORT 5.– aristocrate

MORT 3.– seigneur

MORT 4.– oppresseur

MORT 2.– grand

MORT 1.– beau

MORT 5.– intelligent

MORT 3.– rusé

MORT 4.– étranger

MORT 2.– paresseux

MORT 1.– né pour commander

MORT 5.– menteur

MORT 3.– contre les Blancs

MORT 4.– communiste.

MORT 5.– Le Muhutu était

MORT 3.– bantou

MORT 4.– roturier

MORT 2.– indigène

MORT 1.– serf

MORT 5.– cultivateur

MORT 3.– paysan

MORT 4.- esclave

MORT 2.- opprimé

MORT I.- petit nègre

MORT 5.- grossier

MORT 3.- simple

MORT 4.- docile

MORT 2.- corvéable

MORT I.- authentique

MORT 5.- autochtone

MORT 3.- ami du Blanc

MORT 4.- bon chrétien.

MORT 5.- Le Mutwa était

MORT 3.- un singe

MORT 4.- un pygmée

MORT 2.- à l'âme lourde

MORT I.- quantité négligeable

MORT 5.- fourbe

MORT 3.- féroce

MORT 4.- sale.

MORT 2.-
     Qu'ils n'oublient pas de dire que
     nous étions avant tout
     des Banyarwanda

LE CHŒUR DES MORTS.- *(ensemble)*
     Nous parlions la même langue
     Nous célébrions le même dieu
     Nous partagions la même culture.

MORT I.-
     Diront-ils que notre identité
     était d'abord celle de notre clan

de notre lignage
de notre région
de notre corps d'armée?

MORT 5.–

Parleront-ils des dix-sept clans du Rwanda
qui comprenaient indistinctement
Bahutu, Batutsi et Batwa?

MORT 4.–

Qu'ils n'oublient pas de dire
que c'est la tutelle belge
qui instaura en 1931
le livret d'identité avec mention ethnique.

MORT 4.–

Diront-ils
que nous n'avions pas de mot
pour traduire ethnie
et qu'ils utilisèrent le mot «ubwoko»
c'est à dire «clan»?

MORT 2.–

Parleront-ils des lignages
des parrains du Kubandwa
des Bahutu devenus Batutsi
des Batutsi devenant Bahutu
des unions nombreuses
entre Batutsi et Bahutu?

MORT 3.–

Parleront-ils des Abasyete
ce clan de Batutsi
d'origine twa?

MORT I.–

Qu'ils n'oublient pas de dire
qu'avant la colonisation
chaque Rwandais sur sa colline
dépendait de trois autorités
– le chef de terre, le chef de pâturage, le chef de l'armée –
et qu'il pouvait avoir recours au roi lui-même.

MORT 5.–

> Qu'ils n'oublient pas de lire
> la lettre de monseigneur Léon Classe
> de la congrégation des Pères Blancs
> qui écrivit à l'administrateur belge Voisin :

MORT 2.– *Le plus grand tort que le gouvernement pourrait se faire à lui-même serait de supprimer la classe mututsi...*

MORT 4.– *... Une révolution de ce genre conduirait le pays tout entier à l'anarchie et au communisme haineusement anti-européen...*

MORT 5.– *... En règle générale, nous n'aurons pas de chefs meilleurs, plus actifs, plus capables de comprendre le progrès et même plus acceptés par le peuple que les Batutsi, qui ont un vrai sens du commandement et un tact politique réel[17].*

MORT I.–

> Qu'ils n'oublient pas de dire
> qu'ils amenèrent avec eux
> leurs disputes et leurs guerres
> Wallons contre Flamands
> Catholiques contre Protestants et Musulmans
> Belges et Anglais contre les Allemands
> et que beaucoup d'entre nous
> sont morts dans ces guerres de Blancs.

MORT 3.–

> Et même s'ils n'oublient pas d'en parler
> comment pourraient-ils dire
> la brûlure de la chicote
> le poids des corvées
> la morsure de la faim.

LE CHŒUR DES MORTS.– *(ensemble)*

> Ce n'est pas leur chair qui fut meurtrie
> Ce n'est pas leur sang qui coula et sécha,
> Ce ne sont pas leurs enfants qui périrent.

---

17. Cité par Gérard Prunier in *Rwanda 1959-1996*, éditions Dagorno, p. 40.

5. LE RWANDA PRÉCOLONIAL

MUYANGO.–
Murabyumve muli menge
Mubirebe mubikenga
Ibyo byuma byamamaza
amakuru
Byanduza imitima, ubwenge
bukayoba

Intati y'impyisi yiyabiza maka
Tuli mu ndili yazo
Yemwe muramenye

Mumbarize abakunda kuvuga
u Rwanda
Niba bibuka umwami wimitse
Kalinga
Igisumizi cyarutsindiye abanzi
Ni Ruganzu rugambilira aba-
hunde

MORT 2.–
Écoutez-les, soyez sur vos
gardes
Regardez-les, mais méfiez-vous
Ces appareils qui propagent
l'information
Ce sont eux qui infectent les
cœurs
Et souillent les esprits

Une hyène rusée se met à
beugler
à la manière d'une vache
Nous sommes dans leur
tanière
S'il vous plaît, soyez vigilants

Demandez pour moi à ceux
qui parlent du Rwanda
S'ils se rappellent du roi
qui a intronisé le tambour-
emblème, Kalinga
Igisumizi qui a repris le pays
aux ennemis
C'est Ruganzu défiant les
Bahunde

MORT 4.–
Parleront-ils du roi magnanime
Gahindiro
celui qui a décrété que
dans chaque foyer
il n'était pas permis
de refuser du lait
à celui qui le demandait.

MORT 5.–
Parleront-ils de tout cê qui nous fut interdit
par l'Église et l'Administration coloniale

et qui était gage de paix et d'unité
le rituel du Kubandwa
le culte de Ryangombe et les injures de son fils Binego
la tradition du Pacte de sang, Kunywana
notre culte des ancêtres, Guterekera
notre pratique divinatoire, Kuraguza.

MORT I.−

Diront-ils que si notre histoire
comme toute histoire d'un État-nation
n'est pas sans guerre de conquête
ni intrigue de cour
jamais de mémoire d'homme
avant la colonisation du Rwanda
il n'y eut de conflit ethnique
entre les Bahutu et les Batutsi?

6. ÉGLISE

MUYANGO.−

Murabyumve muli menge
Mubirebe mubikenga
Ibyo byuma byamamaza
amakuru
Byanduza imitima, ubwenge
bukayoba

Intati y'impyisi yiyabiza maka
Tuli mu ndili yazo
Yemwe muramenye

Ese bazi ko Kiliziya yakuye
kirazira

MORT 2.−

Écoutez-les, soyez sur vos
gardes
Regardez-les, mais méfiez-vous
Ces appareils qui propagent
l'information
Ce sont eux qui infectent les
cœurs
Et souillent les esprits

Une hyène rusée se met à
beugler
à la manière d'une vache
Nous sommes dans leur
tanière
S'il vous plaît, soyez vigilants

Savent-ils que l'Église a levé
les interdits?

Musinga yari yabikenze	Musinga l'avait pressenti
Abapadiri bamuta i shyanga	Les Pères Blancs le jetèrent à
Badukura ku mana y'i	l'étranger
Rwanda	Ils nous obligèrent à renier le
Dusigara dusenga alitari	Dieu du Rwanda
	Pour ne prier que leur seul
	autel

MORT 2.– Parleront-ils du père Aelvoet qui déclara : *Pour nous l'histoire a commencé en 1959, tout le reste avant, c'était la culture des Batutsi. La révolte des Bahutu, je l'ai vécue de manière très douloureuse car il y avait des cadavres, mais dans le fond j'étais heureux...*

MORT 3.– ... *J'ai enterré les premiers chefs Batutsi à Gitarama, les Bahutu trépignaient avec des machettes, en criant : « Ils doivent retourner en Abyssinie. » Ils ne nous en voulaient pas d'enterrer ces gens, ils nous disaient simplement : « Revenez demain, nous en aurons d'autres[18]. »*

MORT 4.–

Diront-ils que le carnet de baptême
était obligatoire
pour inscrire les enfants
dans les écoles
pour faire carrière
dans l'armée ?

MORT 5.–

Parleront-ils de la guerre scolaire belge
importée jusqu'en nos chaires de vérité ?

MORT 2.–

Parleront-ils de l'interdiction
sous peine d'excommunication
d'inscrire nos enfants
dans une école laïque ?

MORT 4.–

Diront-ils que nous devions lever la main
à l'école primaire

---

18. Cité par Colette Braeckman in *Rwanda. Histoire d'un génocide.* Éditions Fayard, p. 42.

pour départager les Bahutu et les Batutsi
et que nous avions honte d'être Batutsi?

MORT I.−

Diront-ils qu'aujourd'hui encore
la propriété foncière de l'Église
représente 13 % du territoire national
alors que nous n'avons pas assez de terre
pour nourrir toutes les familles du Rwanda?

Diront-ils qu'on appelait le Rwanda
le pays des mille coopérants?

Diront-ils que le Rwanda est un des pays
les plus pauvres du monde?

MORT 3.−

Parleront-ils de l'influence de l'IDC
l'Internationale démocrate chrétienne?

Diront-ils que Juvénal Habyarimana
était membre du Renouveau charismatique
et un haut responsable de l'Opus Dei?

MORT 2.−

Parleront-ils de l'aide apportée
par le Père Johan Pristill
à la traduction en kinyarwanda
de *Mein Kampf* d'Adolf Hitler
pour le compte de l'extrémiste hutu
Martin Bucyana président des CDR[19]?

MORT 5.−

Parleront-ils de l'abbé Wenceslas Munyeshyaka
qui était en 1994
curé à la Sainte-Famille?

MORT 3.−

Il livrait ses paroissiens
et les gens qui cherchaient refuge
dans son église
aux Interahamwe
Il violait femmes et jeunes filles.

---

19. CDR : Coalition pour la défense de la République et de la démocratie, parti politique créé en 1992, fondé dès le début sur un programme radical ouvertement ethniste.

MORT 4.–

L'abbé Wenceslas nous disait
en parlant des Batutsi déjà massacrés
et en nous annonçant le jour de notre mort
Un tapis déjà recouvre
le corps de notre Père Habyarimana
et le 5 juillet
il sera encore plus content.

MORT 1.–

Wenceslas vit en France
il est curé dans une paroisse
il y dit la messe chaque dimanche.

MORT 5.–

Qu'ils n'oublient pas de dire
que des chrétiens ont tué d'autres chrétiens
dans les églises et les chapelles
devant les autels.

MORT 2.–

Qu'ils n'oublient pas de dire
que des évêques sont restés silencieux
et que certains d'entre eux
ont livré des membres
de leur propre clergé.

MORT 3.–

Qu'ils n'oublient pas de dire
que des religieuses ont dénoncé,
livré, réquisitionné essence et allumettes
et que certaines ont bouté le feu elles-mêmes.

MORT 1.–

Diront-ils que deux d'entre elles
Sœur Gertrude et Sœur Kizito
bénédictines à Sovu
reconnues coupables de génocide
ont trouvé refuge au couvent de Maredret
en Belgique
après avoir envoyé six mille personnes
à la mort ?

MORT 2.−

Qu'ils n'oublient pas de dire
Voilà le fruit de l'évangélisation du Rwanda
Voilà l'enseignement d'une Église théocrate.

7. DEUIL

MUYANGO.−

Murabyumve muli menge
Mubirebe mubikenga
Ibyo byuma byamamaza amakuru
Byanduza imitima, ubwenge bukayoba

MORT 2.−

Écoutez-les, soyez sur vos gardes
Regardez-les, mais méfiez-vous
Ces appareils qui propagent l'information
Ce sont eux qui infectent les cœurs
Et souillent les esprits

Intati y'impyisi yiyabiza maka
Tuli mu ndili yazo
Yemwe muramenye

Une hyène rusée se met à beugler
à la manière d'une vache
Nous sommes dans leur tanière
S'il vous plaît, soyez vigilants

Ntitwashyinguwe nk'uko bisanzwe
Baratemaguye bata mu myobo
Imirambo mu gihugu cyose
Imbwa n'inkona biradushoka
Amagufa zanika ku gahinga

Nous n'avons pas eu de funérailles
comme il est de coutume
Nous avons été dépecés et jetés
dans des fosses communes
Nos cadavres disséminés à travers tout le pays.
Chiens et vautours les dévorèrent,
Puis ils laissèrent les os exposés au soleil

MORT 2.−

Qui cherche la vérité dit les ombres
Qui réclame justice n'accepte aucun pardon.

MORT 3.−

> Tant de morts
> Tant de chagrins
> Tant de familles exterminées
> Et il faudrait oublier?
> Le feu est éteint, c'est vrai
> Mais pour combien de temps?
> Le feu est éteint, c'est vrai
> Mais pas la peur
> Et que dire du feu à l'intérieur?

MORT 1.−

> La voie de la réconciliation
> Ne conduit pas à l'oubli
> Que l'on cueille nos os dans les marais
> Sur les flancs des collines
> Dans les fosses communes
> Que l'on plante nos noms sur une croix.

MORT 2.−

> Nous sommes ce million de cris suspendus
> Au-dessus des collines du Rwanda
> Nous sommes ce nuage accusateur
> Nous attendons de vous réparation
> Pour nous les morts
> Et pour tous les survivants
> Pour tous les Rwandais
> Pour tous les hommes de la Terre.

MORT 4.−

> À travers nous,
> L'humanité vous regarde tristement.
> Qu'attendez-vous?
> Nous ne sommes pas en paix.

MORT 5.−

> Nous ne sommes pas en paix.

MORT 2.−

> Nous ne sommes pas en paix.

MORT 3.−

> Nous ne sommes pas en paix.

MORT 1.−

Nous ne sommes pas en paix.

MORT 2.−

Qui cherche la vérité dit les ombres
Qui réclame justice n'accepte aucun pardon.

En représentation, ici se situe le premier entracte.

Quatrième partie

UBWOKO[20]

PRÉLUDE 2

Désormais le Chœur des Morts occupe la scène en permanence. Assis sur une rangée de sièges en bois, fer et peau de vache, ils examinent le spectacle et suivent le chemin de Bee Bee Bee, ils commentent les événements et de plus en plus interviendront directement dans le déroulement de son enquête imaginaire.

Repartant du leitmotiv à la clarinette, l'orchestre et les chanteuses accompagnent et développent l'introduction faite par une femme du Chœur des Morts.

MORT 2.−

Mesdames et Messieurs,
vous avez vu et entendu
ITSEMBABWOKO «Génocide»
et MWARAMUTSE «Avez-vous passé la nuit?»
Madame Bee Bee Bee a été durement
ébranlée, son cœur déborde,
son petit cerveau travaille éperdument.
Elle se demande avec nous : comment
on peut tuer un million d'hommes
si facilement
en 1994.
Ubwoko Ubwoko Ubwoko
Voici un mot-clé.
Ubwoko : nous y sommes,
et c'est le mot-clé.
Dans ce mot grondent plusieurs décennies
d'ignorance, de mensonge, d'exploitation,
d'oppression, de haine, de honte, d'exil et de sang.
Ubwoko
Madame Bee Bee Bee commence un long et dangereux
voyage.

1. NÉCESSITÉ DU SAVOIR

La scène se situe au bar de l'Hôtel Intercontinental (une table d'acier, deux chaises assorties, un verre d'eau, un serveur africain). Un homme se présente au public.

JACOB.–

Ainsi les fantômes des morts réclamaient justice.
Et moi
qui n'ai pas connu mon père
car mon père et son père étaient morts un jour d'avril
dans un camp de Pologne
moi je dis :
s'il est vrai qu'il soit un temps pour chaque chose
sous le ciel
alors il faut qu'il y ait aussi un temps de la justice.
Et je suis sorti dans la rue.
Comment le mal sera-t-il terrassé si justice n'est pas faite
ai-je demandé à un homme qui passait ?
Il m'a regardé.
Est-ce un fou qui me parle, semblait-il dire ?
Et cet homme a demandé : *quelle justice réclamez-vous ?*
Et à qui doit-on la rendre ?
Et dans son regard j'ai vu
qu'il ne savait pas
ou qu'il ne voulait pas savoir
ou qu'il savait mais ne savait pas qu'il savait.
Ah l'innocence est le meilleur terreau du crime.
Ai-je dit que je m'appelle Jacob ?
Que je suis ébéniste
et qu'en cet instant
je suis assis au bar de l'Hôtel Intercontinental ?
Ai-je dit qu'une femme vient d'entrer ?
Cette femme m'a fixé un rendez-vous dans cet hôtel.

BEE BEE BEE.–

Bonjour. Bonjour à tous.

JACOB.–

C'est une souveraine.
Son empire est médiatique.

Chaque semaine
au même jour et à la même heure
la foule télévisuelle se presse devant son écran.
On veut voir Bee Bee Bee.
On veut voir celui ou celle avec qui elle parle
ce jour là à cette heure-là.
On veut voir l'invité.
On veut voir le monde par les yeux de Bee Bee Bee.

BEE BEE BEE.−

Moi Bee Bee Bee,
que la presse spécialisée nomme «l'ange intraitable»
parce que d'une main je tiens une opinion
et de l'autre main une autre opinion
et qu'en conscience je soupèse l'une et l'autre
pour que de ce mouvement impartial naisse la vérité ;

Moi Bee Bee Bee,
qui soigne mes mots et ma mine pour dire
à tous ceux qui m'écoutent : *tels sont les faits, mes amis
en conséquence, faites votre jugement* ;

Moi Bee Bee Bee,
je déclare aujourd'hui
vouloir mettre ma compétence au service de la cause
que vous connaissez.
Je suis honorée.
Je suis aussi inquiète. Oui, je le dis sans honte.
La responsabilité est lourde.
Qu'adviendra-t-il si je remplis ma tâche incorrectement ?
Aussi, ai-je décidé de préparer cette émission historique
avec le plus grand soin.

JACOB.−

Et moi, dis-je
pourquoi m'avoir fait venir ?
(s'adressant au public)
Et me tendant la main, Bee Bee Bee répond :

BEE BEE BEE.−

Je veux comprendre.

79

JACOB.−

Mais que suis-je moi pour vous faire comprendre?

BEE BEE BEE.−

J'ai besoin de vous pour comprendre.

JACOB.−

Je suis un homme droit.
Le meilleur de moi-même
je le cherche chaque jour dans les meubles que je fabrique
avec ces mains-là
m'obstinant à n'avoir avec ce qui m'entoure
que des rapports respectueux.
Je tire fierté de mon travail.
Mais cette fierté suffit-elle pour faire de moi
celui qui vous aidera à comprendre?
N'avez-vous pas
des experts,
des historiens,
des sociologues,
des anthropologues,
des politologues,
qui bien plus titrés que moi
pourront dire
pourquoi ce qui est arrivé relève de causes explicables?
(s'adressant au public)
Et voyant que ma réserve était sincère, Bee Bee Bee dit
encore :

BEE BEE BEE.−

À tout savoir il faut un destinataire
Monsieur.
Il n'y a pas de vérité possible là où personne n'écoute
avec la plus infime parcelle de sa peau.
Vous êtes donc ici
avec moi
parce que la vérité a besoin du désir de la vérité.
Celui qui ne veut pas savoir ne saura jamais.
On lui administrera mille fois la preuve et la preuve de la
preuve

et mille fois celui qui ne veut pas savoir dira :
Les choses sans doute se sont passées comme vous le dites
et pourtant je n'arrive pas à y croire.
N'avez-vous pas exagéré?
N'avez-vous pas quelqu'intérêt à présenter ainsi l'affaire?
Je ne ferme pas la porte à la vérité
mais comprenez que je veux être prudent,
mesuré,
pondéré,
lent s'il le faut.

Ainsi parle celui qui ne saura jamais
parce que depuis la nuit des temps, il ne veut pas savoir.

JACOB.−
Mais vous, reprend Bee Bee Bee en s'adressant à moi...

BEE BEE BEE.−
Oui, vous!
Je vous sais
d'une autre étoffe.
Je vous invite à recueillir avec moi la vérité
et d'une commune franchise
à l'adresser aux millions d'humains
qui attendent mon émission.

JACOB.− *(se lève et s'adresse au public)*
Que dit cette femme?
Que croit-elle?
Que veut-elle faire croire?
Comment dire
l'infiniment grand de la vérité
et l'infiniment petit de la vérité
et l'infiniment complexe des causes et des effets
en un lieu médiatique où la parole est mesurée
où formule vaut mieux que raisonnement
où émotivité paie mieux que conviction?
Comment?
Comment le bruit pourrait-il se faire analyse consistante?
Comment le temple du spectacle pourrait-il se contenter de
l'austérité du vrai?

CHOEUR AFRICAIN.– *(reprise du refrain de Muyango dans* La Litanie des questions*)*

MUYANGO.–
Murabyumve muli menge
Mubirebe mubikenga
Ibyo byuma byamamaza
amakuru

Byanduza imitima, ubwenge
bukayoba

Intati y'impyisi yiyabiza maka
Tuli mu ndili yazo
Yemwe muramenye

MORT 2.–
Écoutez-les, soyez sur vos gardes
Regardez-les, mais méfiez-vous.

Ces appareils qui propagent l'information
Ce sont eux qui ont été la source du mal.

Une hyène rusée se met à beugler
à la manière d'une vache.
Nous sommes dans leur tanière
S'il vous plaît, soyez vigilants

JACOB.– *(au public)*
Bee Bee Bee s'est alors tournée vers moi.
Monsieur, ayez confiance, a-t-elle dit.

BEE BEE BEE.– *(au public)*
Regardez-moi.
N'allez pas tout de suite au pire.
Je veux être avec eux.
De leur côté.
Et si la douleur est un ébranlement intime qu'il est difficile
de partager,
qu'au moins les causes de cette douleur soient montrées
comme un outrage au genre humain.
J'ai, je l'avoue,
grande honte à savoir que nous avons fait si peu
pour empêcher le génocide.
Laissez-moi, Monsieur, vous montrer ceci.

*Séquence d'archive d'un journal télévisé de la chaîne France 2,
la date est indiquée : 28 février 1993.*

BRUNO MASURE.– Invité de notre journal Jean Carbonare, président
de l'association Survie, vous avez passé trente-deux ans en
Afrique sur des projets de développement rural, vous connaissez
très très bien ce continent. Vous venez de faire partie d'une
mission de la Fédération internationale des Droits de l'homme,
qui a passé environ quinze jours au Rwanda, vous venez juste de
rentrer. On vient de voir des images tout à fait effrayantes et vous
avez d'autres témoignages à donner sur cette mission des Droits
de l'Homme assez terribles.

JEAN CARBONARE.– Oui, ce qui nous a beaucoup frappé au Rwanda
c'est à la fois l'ampleur de ces violations, la systématisation,
l'organisation même de ces massacres. Parce que on a parlé
d'affrontements ethniques mais en réalité il s'agit de beaucoup
plus que d'affrontements ethniques, c'est une politique organisée
que nous avons pu vérifier malheureusement. Parce que dans
plusieurs coins du pays, en même temps, éclatent des incidents et
ça n'est pas fortuit, ça n'est pas gratuit, on sent que derrière tout
ça il y a un mécanisme qui se met en route. Et on a parlé de purification ethnique, de génocide, de crime contre l'humanité dans le
pré-rapport que notre commission a établi, et nous insistons beaucoup sur ces mots [...]

Tous les membres de la mission sont convaincus que, jusqu'à un
niveau élevé dans le pouvoir, il y a une responsabilité très grande.
Ce que je voudrais ajouter aussi, c'est que notre pays, qui sup-
porte militairement et financièrement ce système, a une responsabilité. Et nous étions huit nationalités représentées dans notre
commission, j'étais, disons, le représentant le plus inconfortable.
Parce que je mesurais que notre pays peut, s'il le veut, peser sur
cette situation [...]

J'insiste beaucoup, nous sommes responsables, vous aussi monsieur Masure vous pouvez faire quelque chose, vous devez faire
quelque chose, pour que cette situation change. Parce que on
peut la changer si on veut. *(ici, il balbutie et les larmes lui viennent aux yeux avant de poursuivre)* On a trouvé des femmes qui
sont terrées au fond de la forêt depuis des semaines avec leurs

enfants. On peut faire quelque chose, il faut qu'on fasse quelque chose pour elles. Et notre gouvernement, en pesant sur les autorités du pays, qu'elles assistent militairement et financièrement, peuvent très rapidement... En Yougoslavie, en Somalie, c'est un peu différent, c'est une situation qui nous échappe. Mais là on peut faire beaucoup. Nous-mêmes et en entraînant aussi nos partenaires de la Commission européenne et du monde occidental.

BEE BEE BEE.–
> Ceci a été diffusé plus d'une année avant le génocide.
> J'ai regardé cette séquence jusqu'à en avoir mal aux yeux.
> Cet enregistrement est sur mon bureau.
> Aujourd'hui, nous devons parler.
> Dire maintenant qu'il est bien tard
> ce qu'il eût été bien plus secourable de proclamer hier.
> C'est pourquoi j'en appelle à votre confiance.
> Je remets mon action entre vos mains d'ébéniste,
> sachant en quel camp d'extermination votre famille a péri.
> Et je vous conjure de veiller avec moi sur le chemin de la vérité.

JACOB.–
> La tâche est lourde.

BEE BEE BEE.–
> Ce génocide
> a trouvé ses germes dans le ventre colonial.
> Par respect pour les victimes
> j'entends que des explications
> soient données dans la froide articulation du raisonnement.
> Car, je vous le dis :
> ce que l'homme a noué, l'homme doit pouvoir le dénouer.

JACOB.– *(au public)*
> Et, dans les yeux, Bee Bee Bee avait plus de détermination que de larmes.
> Et je sus que ses paroles étaient sincères.

BEE BEE BEE.–
> Hutu, qu'est-ce que cela signifie ?
> Et Tutsi, qu'est-ce que cela signifie ?

JACOB.−

Je veux en savoir davantage.

BEE BEE BEE.−

Je vais tout d'abord vous conduire à une conférence.

Un homme va parler.

Il sait des choses que d'autres lui ont apprises.

Il sait qu'on pense toujours dans la tête d'un autre.

2. UBWOKO

Jacob et Bee Bee Bee s'assoient sur le côté, dos au public à l'extrême avant-scène, presque comme s'ils faisaient partie des spectateurs. Un homme prend place à une petite table avec un verre d'eau.

CONFÉRENCIER.– Mesdames, Messieurs,
madame Bee Bee Bee, monsieur Jacob,
Bonsoir.

Hutu, qu'est-ce que cela signifie, Tutsi qu'est-ce que cela signifie ?

Je veux en savoir davantage avez-vous réclamé monsieur Jacob et probablement, au terme de ce bref exposé, en saurez-vous un peu plus sur cette question. Mais assurément, vous n'aurez pas obtenu une réponse simple ni complète, et encore moins définitive, à votre demande apparemment élémentaire. S'il est une chose, en effet, qui différencie les approches actuelles des ethnologues et des historiens des travaux de leurs prédécesseurs, c'est d'avoir reconnu la question Hutu-Tutsi comme extrêmement complexe. Ils l'étudient d'ailleurs avec d'autres outils et sur une beaucoup plus large période. On remontait autrefois difficilement, par la tradition orale, jusqu'au XVe siècle. La dernière synthèse sur l'histoire des peuples de la région des Grands Lacs, celle de Jean-Pierre Chrétien, directeur de recherche au Centre national de la Recherche scientifique (France), porte sur deux mille ans... Ce n'est donc pas dans le cadre d'un spectacle dont vous êtes les protagonistes, que nous pourrons épuiser le sujet, et sur le chemin de cette grande notion – dont vous faites peut-être un usage excessif, madame Bee Bee Bee : la **vérité**, nous ne ferons que quelques pas[21].

Cependant, nous avancerons peut-être avec plus d'assurance en suivant quelques-unes des pistes que vous ont ouvertes nos amis du Chœur des Morts dans leur *Litanie des questions* tout à l'heure.

Parler des Hutus et des Tutsis, c'est donc s'interroger sur ce qu'il est convenu d'appeler les ethnies au Rwanda. On en distingue trois :

---

21. Ceci transcrit le contenu de *La Conférence* dans une version très étendue. Selon les circonstances, celle-ci peut être fortement résumée ou plus détaillée. Les expressions et les exemples peuvent varier selon l'inspiration et les publics.

— Les Tutsis qui, selon des recensements régulièrement remis en cause parce qu'effectués dans des conditions politiques suspectes, constituent de 13 à 18 % de la population. Une importante minorité.

— Les Hutus, de 80 à 85 %, la grande majorité de la nation.

— Les Twas, souvent assimilés à des Pygmées, une infime minorité, moins d'1 %, mais qui a joué dans l'histoire ancienne du Rwanda un rôle social, symbolique et culturel important.

Au pluriel : Batutsi, Bahutu, Batwa ; au singulier, un individu : Mututsi, Muhutu, Mutwa.

Nous employons pour parler d'eux un mot prélevé du vocabulaire des sciences, et utilisé couramment aujourd'hui dans les média : ethnie, un mot occidental. Existait-il dans **leur** langue, le kinyarwanda, un mot correspondant à cette notion ? Le kinyarwanda est une langue très riche, presque sophistiquée, abondamment pourvue de concepts abstraits mais il n'existait aucun mot correspondant à « ethnie ». Le mot n'existait pas, parce que la différence entre les catégories identitaires au Rwanda n'était absolument pas perçue en ces termes. Quand donc en 1931, l'administration belge voulut obliger chaque individu à porter un livret d'identité avec mention ethnique en trois langues — français, néerlandais, kinyarwanda— on ne trouva pas de mot pour traduire « ethnie ». On a alors détourné un autre mot de son sens premier, le mot-clé de cette partie du spectacle où nous sommes, **Ubwoko.**

Ubwoko signifiait : clan. Une toute autre réalité. Il y a au Rwanda un peu moins d'une vingtaine de clans et ceux-ci n'ont aucun rapport avec la question ethnique, puisque **tous** les clans comportent, dans des proportions variables, des Hutus, des Tutsis et des Twas. Si l'on demandait à un Rwandais d'autrefois : *quel est ton ubwoko ?* il répondait : *je suis un Musinga* ou *je suis un Musindi,* c'est-à-dire du clan des Singa ou des Sindi, par exemple, et en aucun cas : je suis Hutu ou je suis Tutsi. Cela n'avait rien à voir.

Dans cet écart sémantique se dévoile peut-être le premier indice, essentiel, de la différence entre la réalité vécue par les Rwandais avant notre arrivée et le regard que nous avons posé sur elle.

Cette obsession de l'ethnisme pour appréhender la réalité rwandaise a prévalu, de 1896 à nos jours. C'est elle qui a inspiré l'explication la plus commune du génocide au moment des faits. À de très rares et heureuses exceptions près, qu'avons-nous vu et entendu dans les médias, qu'avons-nous lu dans la presse en 1994? J'essaie de résumer cette version quasiment hégémonique dans sa forme la moins vulgaire : les Tutsis constituaient jadis l'ethnie féodale dominante, minoritaire, opprimant les Hutus; dans les années soixante, avec l'indépendance, les Hutus prirent le pouvoir et opprimèrent à leur tour la minorité tutsi; après de nombreux conflits, le FPR – composé d'exilés Tutsis – a envahi le Rwanda en 1990; dans ce contexte de guerre l'attentat contre l'avion du président Juvénal Habiyarimana déchaîna la haine séculaire des Hutus contre les Tutsis, entraînant le génocide.

Cette explication est sinon fausse en tout cas profondément inexacte, on pourrait dire «vicieuse», point par point. N'en retenons que deux qui s'articulent directement, à votre question, madame Bee Bee Bee : les Hutus et les Tutsis en tant qu'ethnies, et l'affirmation d'une haine séculaire entre eux.

Il n'est aujourd'hui plus aucun ethnologue pour accepter de reconnaître des ethnies différentes entre les Hutus et les Tutsis. Ils ne possèdent **aucune** des caractéristiques qui servent à distinguer ainsi des populations à travers le monde.

Le plus souvent, un groupe ethnique correspond à une aire géographique déterminée, tels les Kurdes, les Corses, les Bretons, les Tamouls, les Sardes, les Tchétchènes, etc. Au Rwanda on trouve des Hutus et des Tutsis sur tout le territoire national. Si, par une aberration politique similaire à celle qui a ravagé la Yougoslavie on voulait établir des zones «ethniquement pures», on serait incapable de tracer un Hutuland ou un Tutsiland qui ait le moindre sens.

Se différencieraient-ils alors par une marque d'identité très importante, comme par exemple les Flamands et les Wallons de Belgique : la langue? Au Rwanda aussi loin que remontent la mémoire, la tradition orale et l'exploration linguistique, tous les habitants, Hutus, Tutsis et Twas parlent la même langue : le kinyarwanda. Les variations légères qui existent dans l'usage de cette langue, accents, tournures, sont régionales. Un peu comme entre le Nord et le Sud de la France. Elles affectent également tous les habitants de ces zones, Hutus, Tutsis et Twas. Il n'existe aucun clivage linguistique entre ces différentes catégories identitaires. C'est même là un des indices les plus forts contre la théorie qui voudrait que les ancêtres des Tutsis soient venus d'ailleurs depuis seulement six ou sept siècles. Car on ne décèle aucune trace résiduaire d'une ancienne langue étrangère. Alors que nous pouvons repérer si facilement le latin en français, par exemple, après plusieurs millénaires.

Existerait-il alors une autre différence fondamentale, celle de la religion? Comme entre les Irlandais? Encore faudrait-il être bien hardi pour affirmer que les Irlandais, protestants et catholiques, n'appartiennent pas à la même ethnie. Au Rwanda, de toutes façons, la question ne se pose pas. Avant l'arrivée des Blancs tous les habitants adoraient le même dieu : Imana. Il s'agissait d'une sorte de monothéisme qui a, bien sûr, fait la joie des missionnaires, lesquels ont aussitôt rebaptisé Jésus-Jéhovah : Imana. Ce dieu unique adoré par tous, était un dieu un peu lointain, un peu abstrait. Les Rwandais avaient donc articulé à cette croyance fondamentale un culte plus populaire : le culte du Kubandwa, dit aussi parfois culte de Ryangombe. Celui-là, les missionnaires l'ont combattu avec vigueur. Il s'agissait d'une pratique comportant une initiation progressive et des rites un peu apparentés à des rites de possession. L'ensemble de la population se retrouvait dans ce culte à l'exception d'une seule personne qui ne pouvait y être initiée : le roi. Dans le Kubandwa, l'initié est encadré par des parrains, ces parrains pouvaient se choisir indépendamment des catégories Hutus et Tutsis.

Même territoire, même langue, même religion, participant tous de la même culture, parties indissociables de la même formation sociale, ayant constitué des siècles avant notre arrivée un véritable État-nation, il est absolument impossible de reconnaître chez les Hutus et les Tutsis des ethnies différentes.

S'agirait-il alors d'autre chose, devons-nous recourir pour les désigner à un terme aujourd'hui beaucoup plus suspect encore aux oreilles des scientifiques, s'agirait-il de «races» différentes? Aussi questionnable que soit ce concept, examinons-le un instant. D'abord parce que c'est celui qui fut employé par les explorateurs, les missionnaires, les savants et les colons et repris dans les écrits et les discours du Hutu Power quand ils parlent de *sang tutsi* et de *sang hutu*. Ensuite, même si l'on sait à quel point la perception peut être trompeuse, on voit bien sur quoi prétend se fonder l'idée de «race» : des différences physiques immédiatement repérables.

Il existe des centaines de livres, des milliers d'articles de revues et journaux qui, pendant des décennies, et pour certains encore aujourd'hui, désignent les Hutus, les Tutsis et les Twas comme des races différentes. Généralement cette affirmation est accompagnée de trois photos, chacune représentant le type «idéal» de ces trois races. Les descriptions de 1896 jusqu'aux années soixante, mélangent toujours les traits physiques et les qualités morales. Il faut absolument se souvenir du fait que les occidentaux ont cru fermement pendant des siècles, et pour beaucoup encore maintenant, que l'humanité était divisée en races et sous-races, et que chacune présentait des caractéristiques morales et intellectuelles intrinsèques. Tout le monde y croyait, de l'homme de la rue jusqu'au savant.

Au Rwanda, cela donne les descriptions suivantes :

– Le Tutsi est immense, une espèce de géant, très maigre, dont le front est grand, le nez mince et allongé, les lèvres fines, la peau claire et cuivrée. Il dégage une impression de noblesse et d'élégance. Avec cela, le Tutsi est : intelligent, menteur, rusé, cruel, naturellement fait pour le commandement, etc.

– Le Hutu est toujours décrit comme, je cite : *le nègre commun*. C'est-à-dire : la face ronde, la peau très noire, le nez épaté, les lèvres énormes. Son caractère est naïf, travailleur si l'on est sévère, bon et joyeux si l'on est juste avec lui, facilement chrétien, etc.

– Le Twa est un demi-singe, laid, sale, grossier, fait pour *les basses œuvres*.

Nous n'exagérons en rien, nous ne caricaturons pas, allez consulter les ouvrages. En 1958, à l'occasion de l'Exposition universelle à Bruxelles, les actualités cinématographiques montrent encore des Hutus et des Tutsis dont on mesure les crânes et affirment que les Hutus par exemple, ont *l'âme lourde et passive*.

On aurait tort de penser que ces idées ont disparu. Pendant le génocide, quand la France envisageait une expédition militaire, l'ancien président de la République, Valéry Giscard d'Estaing expliquait au journal télévisé de TF1 que *les Tutsis étaient plus délurés que les autres.*

Si l'on oublie ces appréciations morales pour s'en tenir strictement aux caractéristiques physiques, on doit constater qu'elles ne sont pas entièrement dépourvues de fondement. Il existe, en effet, un certain pourcentage de Hutus et de Tutsis dont l'apparence correspond à ces descriptions. La raison de ces différences reste un terrain ouvert aux chercheurs où aucune réponse n'est complètement satisfaisante. Pendant très longtemps par exemple les Européens ont cru que les Tutsis n'étaient pas plus de vingt mille, parce qu'ils ne considéraient comme tels que les Tutsis nobles et riches. Vous savez peut-être qu'à la fin du XIXe siècle, quand les Européens ont été saisis de la rage de mesurer tout le monde, ils se sont aussi mesurés eux-mêmes. Et, comme on pouvait s'y attendre, les nobles, les grands notables, les grands bourgeois français, avaient en moyenne une taille nettement plus élevée que le paysan. Est-ce que les études des différences physiques au Rwanda établissaient au fond des différences sociales? Tout cela est loin d'être clair. Peut-être, l'explication est-elle un mélange complexe de différentes hypothèses... La recherche continue.

Mais quoi qu'il en soit, si vous vous postez au coin d'une rue à Kigali ou à Gikongoro, afin d'observer la foule, vous serez plongé dans la perplexité, car ces différences sont aussi très relatives. Vous verrez bien passer un certain nombre d'individus correspondant plus ou moins aux descriptions traditionnelles. Mais vous verrez surtout un grand nombre de cas difficiles. Ah! En voilà un très grand, très mince, c'est sûrement un Tutsi; oui, mais il a le nez écrasé et la peau très noire... et en voici un à la peau cuivrée, presque jaune; oui, mais il est tout petit et très gros... Alors? Alors, vous vous dites : je suis Européen, je ne vois pas clair, eux, les Rwandais, savent comment se reconnaître. Il se peut qu'après des dizaines d'années de haine, de discrimination, de danger et de massacres, les Rwandais aient acquis une sorte de sur-sensibilité et repèrent des signes qui nous échappent. Mais la meilleure preuve que pour eux aussi la question est loin d'être simple c'est le génocide lui-même. On connaît les nombreux cas de Tutsis qui ont pu tromper les miliciens Interahamwe parce qu'ils ne correspondaient pas du tout au descriptif typique. On connaît des cas de Hutus assassinés aux barrières parce qu'ils n'avaient pas leurs papiers et avaient le malheur d'avoir le nez fin ou la peau claire. C'est précisément parce que l'apparence physique n'était en rien une preuve solide que les miliciens demandaient les cartes d'identité. Mais ce document lui-même était douteux. *Oui, là il est marqué Hutu, mais cette carte combien l'as-tu achetée?* car il existait un important marché noir des cartes d'identité. Si l'on ajoute que pour les extrémistes Hutus du Nord du pays, l'ensemble de la population du Sud était considérée comme plus ou moins Tutsi, on voit que cette question des différences physiques comme critère de base de l'identité hutu ou tutsu reste problématique.

Si l'on examine maintenant d'autres critères que le physique, alors le concept de race vole en éclats. Qu'est-ce en effet que cette race dont on pouvait changer? Dans le Rwanda ancien, d'une manière globale, on peut dire que la majorité des Tutsis était d'un rang social supérieur à la majorité des Hutus. Il pouvait donc arriver qu'un Tutsi qui s'appauvrissait, qui perdait ses appuis et ses protections, que sa famille rejetait, finisse par devenir Hutu. Inversement un Hutu qui avait rendu des services à des personnages importants, ou au roi lui-même, qui recevait donc de nombreuses vaches et s'enrichissait, devenait Tutsi. Il y a même un exemple avec ces fameux «demi-singes», les Twas. Le clan des Abasyete a pour fondateur un personnage qui n'est pas mythologique mais historique. Il s'agit d'un Twa qui pour avoir rendu un très grand service à la couronne reçut des récompenses et dont la descendance fut assimilée aux Tutsis. Comment peut-on alors parler de «race»? À notre connaissance un milliardaire afro-américain reste noir, même s'il devient maire de New York ou ministre des Affaires étrangères. Son mode de vie est semblable aux riches Blancs, sa peau ne change pas.

Étrange race aussi à laquelle on appartient exclusivement par son père et qui ne connaît pas de métissage. Si moi, Blanc européen j'ai le bonheur d'épouser une Noire africaine, nos enfants seront des métis, un mélange génétique du père et de la mère. Le Rwandais reconnaît ce métissage, mais pas pour le *sang hutu* et le *sang tutsi*.

Entre eux, la patrilinéarité s'applique de manière implacable. Un Tutsi épousant une Hutu aura des enfants Tutsis, un Hutu épousant une Tutsi des enfants Hutus. Et ces cas sont nombreux. À quelle «race» appartient un Hutu ou un Tutsi dont la généalogie comprend plusieurs de ces unions, et qui pourtant se désigne bien comme Tutsi ou Hutu exclusivement?

Enfin, s'il fallait encore une preuve de l'inadéquation ici du concept de «race», c'est l'administration belge elle-même qui l'a apportée. Dans ce long effort pour étiqueter tous les individus, en dépit de ses mesures de crâne et ses études de pigmentation de la peau, l'administration est tombée sur un certain nombre de cas indécis, alors on a tranché au nombre de vaches. Plus de dix vaches : Tutsi, moins de dix vaches : Hutu. Et ainsi, des frères ont été «racialement» séparés, et cette fois pour toujours...

Assimiler les **catégories identitaires** Tutsi et Hutu à des ethnies ou à des races s'avère donc impossible. Nous sommes en face d'une réalité beaucoup plus complexe et qui, de surcroît, a évolué au cours des siècles. La persistance de l'emploi de ces notions s'explique par des motifs idéologiques et politiques, elles ne correspondent pas à la réalité.

L'autre point, la «haine séculaire» entre eux, serait-il davantage établi?

Remarquons d'abord qu'il n'existe aucune trace dans la tradition orale, sur plusieurs siècles, de massacres de population civile au Rwanda. Simplement parce que, contrairement à un préjugé courant en Europe, la pratique du pogrom était, avant l'arrivée des Blancs, absolument étrangère à cette société. Le Rwanda était, comme nos États européens, un royaume belliqueux, mais ces guerres n'avaient jamais pour but, ni même comme «dommage collatéral», l'anéantissement de populations civiles. On espérait tuer le roi ennemi, mais souvent ensuite on concluait avec sa famille des mariages. La pratique du massacre commence en 1959 dans l'histoire du Rwanda, et dans les années soixante au Burundi.

Ensuite, aucune de ces guerres, jamais, n'a eu pour origine ou pour prétexte la haine raciale, le clivage ethnique, ou quoi que ce soit du genre. Le royaume cherchait à s'étendre, et donc à soumettre d'autres royaumes, comme dans le monde entier. Rappelons-nous d'ailleurs que l'ennemi traditionnel du Rwanda, c'était le Burundi. Un royaume composé lui aussi de Tutsis, de Hutus et de Twas.

L'idée de la « haine séculaire » des Hutus envers les Tutsis, est l'extrapolation par les Européens d'une autre de leurs théories sur le Rwanda : celle de l'invasion hamitique.

Cette théorie a été déduite du fait fondamental, pour les explorateurs, d'avoir découvert une société composée essentiellement de deux races dont l'une domine l'autre. À l'époque, fin XIXe début XXe, les historiens ne disposent que d'un seul modèle théorique en pareil cas : l'invasion suivie de l'asservissement. Tels les Romains avec les Gaulois ou, comme ils pouvaient le constater chaque jour, tels l'envahissement et la domination des peuples du monde entier par les occidentaux. La race dominante, les Tutsis, avait donc dû conquérir et asservir les autres. Et ici s'est introduit un autre élément théorique, exemplaire des préjugés de l'époque, cette race supérieure, si orgueilleuse, si raffinée, qui avait édifié un royaume si bien administré, cette race ne pouvait pas être purement nègre... Elle devait être plus proche de la race supérieure à toutes, la race blanche. Les Tutsis sont donc devenus des Hamites ayant conquis des Bantous, les Hutus.

Hamite, signifie étymologiquement que les Tutsi seraient des fils, des descendants du patriarche de la Bible : Noé. (Où l'on voit que ce n'est pas d'hier que Hutus et Tutsis ont partie liée avec les génocides puisque le premier et le plus radical de tous est certainement le Déluge).

Cette filiation biblique en langage « scientifique », de 1896 à nos jours, se traduit ainsi : les Hamites sont des Sémito-caucasiens... Originaires d'Asie (où?), ils seraient venus en Afrique (quand?), transitant par l'Égypte des pharaons (?), puis passant par l'Abyssinie-Éthiopie (quand, pourquoi, comment?), pour arriver finalement au Rwanda-Burundi et asservir leurs habitants... Cette théorie n'a pas le début de l'ombre du commencement d'une preuve. Par exemple, la présence hamite en Égypte est soi-disant attestée parce que sur des bas-reliefs on voit des Noirs élancés conduisant des vaches à longues cornes; de même, pour l'Éthiopie, parce que là-bas des individus qui ressemblent au « Tutsi-type » sont aussi pasteurs de vaches.

Il n'y a plus d'historien sérieux pour soutenir la théorie « hamitique ».

Mais elle a été enseignée aux Rwandais eux-mêmes pendant près d'un siècle. **Elle, et elle seule... Et ils l'ont crue.** Voici, par exemple, entre dix mille autres, un extrait de la revue *Servir*, destiné aux anciens diplômés d'Astrida (Butare), en 1948 :

> *De race caucasique aussi bien que les Sémites et les Indo-Européens, les peuples hamitiques n'ont à l'origine rien de commun avec les nègres (...) Physiquement ces races sont superbes : malgré les inévitables métissages résultant d'un contact prolongé avec les nègres, la prépondérance du type caucasique est restée nettement marquée chez les Batutsi (...) Leur taille élevée − rarement inférieure à 1,80 m (...) la finesse de leurs traits imprégnés d'une expression intelligente, tout contribue à leur mériter le titre que leur ont donné les explorateurs : nègres aristocratiques.*

Si cela nous fait sourire, nous devons aussi nous souvenir qu'à cause de ces élucubrations, en 1994, les génocidaires ont noyé des milliers de Tutsi dans la rivière Nyabarongo en leur disant : *Retournez chez vous, c'est le chemin le plus court pour l'Éthiopie...*

La théorie « hamitique » est une aberration : sémites devenus nègres, peuple biblique, etc. Mais elle est avant tout pernicieuse par l'utilisation idéologique et politique qui en a été faite, pour prouver « scientifiquement » la supériorité naturelle des Tutsis d'abord, pour les rejeter et les opprimer comme « étrangers » par la suite. Viendrait-on à établir que, dans la nuit des temps, des pasteurs nomades sont bien venus d'Égypte et d'Éthiopie, cela ne changerait absolument rien à la réalité du « peuple-nation » d'avant la colonisation, et ne justifierait pas plus discriminations et pogroms de leurs descendants supposés.

Quant au terme « bantou », il est absolument impropre pour désigner des races ou des ethnies. Il a une pertinence strictement linguistique et n'en a jamais eu que dans ce domaine. Le kinyarwanda appartient à ce groupe de langues et par conséquent, tous les Rwandais, Hutus, Tutsis et Twas sont des « Bantous ».

Il est navrant de trouver encore aujourd'hui, dans de nombreux livres et articles de journaux, ces deux termes : hamite et bantou, pour parler d'ethnie ou de race au Rwanda. Ils n'ont, appliqués de cette manière, à cette population, aucun sens. Mais ils servent à justifier la fameuse «haine séculaire» dont aucune trace n'est repérable dans ce pays avant l'invasion, elle bien réelle, des Européens.

Que pouvons-nous alors, prudemment, retenir comme certain dans ces désignations : Hutus et Tutsis, au moment où arrivent ces Européens?

D'abord, qu'ils s'adonnaient à des activités sociales différentes. Les Hutus étaient en général des agriculteurs, et les Tutsis, en général, des éleveurs de gros bétail. Avec des exceptions.

Ensuite, qu'il était socialement beaucoup plus valorisant d'être éleveur qu'agriculteur. Non seulement la vache représentait de la richesse, mais elle fournissait du pouvoir et de la considération. Un genre poétique spécial était exclusivement dévolu à la vache. Avoir reçu des vaches de la part du roi était un honneur suprême. À travers la relation au bétail se nouaient des liens d'obligation, de dépendance. Les grands propriétaires de troupeaux étant des Tutsis, on peut dire que dans le Rwanda ancien, les Tutsis **en général** dominaient sur les Hutus **en général**. Avec de nombreuses exceptions, selon les époques et les régions. En fait, le caractère social de cette distinction Hutu/Tutsi apparaît nettement dans le sens même du mot : Hutu signifiait «être au service de...», on était en général le Hutu-de-quelqu'un.

Dans la plupart des organes dirigeants du royaume, chez les grands responsables militaires ou administratifs, on trouvait aussi une majorité de Tutsis. Mais l'idée, répandue par les colons et les missionnaires, que le pays n'était administré que par les Tutsis, est fausse. Quand la réforme Mortehan, à partir de 1926, veut justement «tutsifier» toutes les responsabilités, les Belges sont obligés de déposer quatre cent trente chefs hutus et quarante chefs twas...

Il faut enfin remarquer qu'en 1994, au moment du génocide, toutes ces distinctions de fonctions sociales ancestrales avaient évidemment disparu depuis des décennies. On trouvait des centaines de milliers de Tutsis misérables cultivateurs et des Hutus en majorité écrasante à tous les postes du pouvoir.

Au terme de ce premier survol de la question Hutu/Tutsi, nous avons pu écarter les théories les plus aberrantes, établi quelques certitudes, mais il faut le répéter : le sujet est encore beaucoup plus complexe. Les termes Hutu et Tutsi, par exemple, n'ont que quelques siècles, mais il est attesté que leurs ancêtres sont là au moins depuis le 1er millénaire **avant** Jésus-Christ. Quelles étaient alors les relations de ces «proto-Tutsis» et «proto-Hutus»? ou encore : si on dit qu'un Tutsi pouvait devenir Hutu, qu'entend-on alors par «Tutsi pauvre»? Etc.

La question Hutu/Tutsi, madame Bee Bee Bee, monsieur Jacob, ce n'est pas clair. Si cela vous a paru clair, c'est que je me suis mal exprimé...

Le Rwanda ancien n'était pas le paradis terrestre, on y trouvait le lot d'oppression et de cruauté qui accompagne toute forme d'État, mais on y trouvait également des réseaux complexes de solidarité, et un très grand sentiment d'unité nationale. Il n'y existait rien qui ressemble à de la haine raciale.

Il reste alors à comprendre pourquoi et comment, moins de cent ans plus tard, presque tous les Rwandais se pensent en terme «d'ethnies», voire de «races»? Pourquoi et comment un fossé de haine, de peur et de sang, s'est creusé entre Hutus et Tutsis, au point de conduire – après des massacres répétés – au crime suprême : le génocide? Et ce, avec une telle violence, que les génocidaires n'ont pas seulement essayé d'en finir avec tous les Tutsis, mais encore d'assassiner tous les Hutus qui refusaient cette «solution finale».

Les Rwandais eux-mêmes, d'abord, sont concernés par cette question et doivent y répondre. Certains y travaillent et leur tâche n'est pas facile. Mais nous, madame Bee Bee Bee, Européens, devons aussi examiner le rôle que nous avons joué et quelles sont nos responsabilités dans la genèse de cette horreur.

Il semble clair que les Européens sont responsables des faits suivants :

> – **Avoir analysé et organisé la société rwandaise comme bipolaire, exclusivement autour de la distinction Hutu-Tutsi.**

Un Rwandais d'autrefois définissait son identité selon beaucoup de paramètres. Son lignage, par exemple, était primordial. Ses ancêtres, leurs alliances, qui avaient été dans le passé les ennemis et les amis de la famille, et ce sur de longues générations. Quel était son corps d'armée? De qui dépendait-il et à qui avait-il engagé ses services? Importants étaient également le clan, et aussi sa région d'origine, et dans cette région sa colline. Et dans tout cela il y avait aussi la distinction Hutu, Tutsi. Les Allemands, les Belges, les Occidentaux en général, ont considéré uniquement cette dernière réalité, et ils ont organisé leur administration de la colonie sur cette unique base.

— **Avoir analysé et organisé ces deux catégories identitaires comme des entités raciales.**

Ayant défini la société comme bi-polaire, Hutu/Tutsi, nous avons aussi défini ces entités comme des races, plus tard comme des ethnies. Nous avons inventé cette théorie de l'invasion hamitique, et nous l'avons enseignée. Pendant des générations les Rwandais ont appris que les Tutsis étaient supérieurs par nature, racialement, et que les Hutus étaient faits pour travailler et obéir, par nature. Le Blanc étant lui, par nature, supérieur à tous, bien entendu.

— **Avoir profondément divisé ces deux groupes et créé les motifs d'une haine durable entre eux, en réservant tous les avantages aux seuls Tutsis jusqu'en 1959, en soutenant brutalement ensuite l'élite hutu dans la répression et l'oppression des Tutsis.**

Dans un premier temps, les Allemands puis les Belges s'intéressent surtout à la cour royale, les missionnaires eux veulent convertir les Hutus, puisqu'ils semblent la grande majorité et que les nobles résistent à la christianisation.

Puis survient le premier changement radical, résumé dans une lettre de monseigneur Classe, futur vicaire apostolique, à l'Administrateur belge Voisin. Dans cette lettre, le missionnaire invite l'Église et l'Administration coloniale à donner une priorité absolue aux Tutsis. C'est le début de «l'administration indirecte» qui, au Rwanda, se confond avec une «tutsification» à tous les niveaux de pouvoir inférieurs.

Le principe de «l'administration indirecte» veut que la puissance coloniale exerce son autorité par l'intermédiaire des structures traditionnelles de la société indigène. C'est ce que prétendaient faire les Belges en privilégiant les chefs tutsis, en réalité rien n'a été respecté.

Je crois qu'il est quasiment impossible pour des Européens de se représenter le bouleversement culturel et social inouï vécu par les Rwandais en quelques années. Inversons l'événement et imaginons-nous, ici, dans nos pays, au début du XXe siècle, époque de christianisme encore intense, de puritanisme extrême, de grand essor industriel, etc. Et voilà que des êtres absolument inconnus, de couleur — mettons — bleue, supérieurement armés, arrivent, nous soumettent, et nous contraignent à changer brutalement tout notre mode de vie. Nous aurions, par exemple, dû déserter les églises et, dans une langue incompréhensible, nous laisser posséder par des esprits ; nous aurions dû nous promener à peu près nus (imaginez nos arrières-grands-parents) ; nous aurions été obligés à la polygamie (je veux dire : officiellement) ; et ainsi de suite, dans tous les domaines : justice, travail, fêtes, loisirs, etc.

C'est ce qui s'est produit pour les Rwandais. Peut-on réellement mesurer les conséquences d'un tel séisme jusque dans l'inconscient ? C'est sur le fond de ce bouleversement global de toute leur culture que s'est mise en place la soi-disant «administration indirecte». Elle non plus n'a quasiment rien respecté des structures anciennes.

Le centre vivant de toute légitimité au Rwanda était le roi, le mwami. Bien davantage encore que dans nos monarchies européennes de droit divin. Le roi était le Rwanda dans sa personne même. Si le roi trébuchait, tout le monde prenait peur car cela signifiait que le pays avait failli tomber. Ce roi incarnant le pays et la Nation, Musinga, les Belges l'ont carrément destitué et exilé. Puis, eux-mêmes ont intronisé, hors de toute procédure rituelle, un de ses fils, Mutara III Rudahigwa. Ce jeune prince, on l'a catéchisé pendant treize ans. À son baptême, le 17 octobre 1943, il a reçu trois prénoms : Charles Léon Pierre. Ceci n'est pas une anecdote, mais tout un programme. Charles, comme le cardinal Lavigerie, fondateur des Pères Blancs, première congrégation religieuse du pays, c'était aussi le prénom du vice-gouverneur Voisin et du Prince Royal de Belgique ; Léon, car c'était le prénom de monseigneur Classe, et Pierre : prénom du gouverneur du Ruanda-Urundi : Pierre Ryckmans. Ce baptême résumait tout ce qu'on attendait de lui. Trois ans plus tard, lors d'une cérémonie gigantesque, Charles Léon Pierre Rudahigwa allait solennellement consacrer, c'est-à-dire donner son pays, au Christ-Roi... Le mwami du Rwanda, ce «royaume incarné», renonçait à son dernier et seul pouvoir : la symbolique.

Quant à la «tutsification» de l'administration, elle allait causer les premiers grands ravages entre Hutus et Tutsis. En 1926, le père Léon Classe recommandait que les enfants hutus et tutsis reçoivent une éducation différente, et **dans des locaux séparés**! Encore était-ce une instruction très modeste : juste de quoi s'acquitter des tâches fixées par le colon. Mais les enfants hutus n'y accédaient que très difficilement. On destitua tous les chefs non-tutsis et on importa des chefs tutsis là où on n'en avait jamais vu. Ce sont ces chefs et sous-chefs qui avaient en charge la perception des taxes, l'organisation des corvées, les punitions etc. En même temps, certains privilèges traditionnels furent aggravés et durcis. On imagine, pour un chef honnête et respectueux de ses subordonnés, combien d'autres pouvaient profiter ou abuser de cette situation. Il y a là évidemment la base potentielle d'une haine profonde envers ces chefs arrogants, issus d'une «race supérieure». Surtout que le «bon chef», cela ressort clairement de tous les rapports de l'Administration coloniale, était celui qui n'hésitait pas à employer la manière forte, c'est-à-dire le fouet en cuir d'hippopotame : la chicote. Ce n'est pas un cliché. Une enquête de l'ONU établit qu'en 1948 sur deux cent cinquante paysans interrogés, deux cent quarante-sept avaient été battus, beaucoup à plusieurs reprises, certains jusqu'à être estropiés. Et si le chef n'agissait pas ainsi, il était à son tour humilié et puni.

Mais voilà les années cinquante, et avec elles le deuxième changement radical. Un vent d'indépendance souffle sur l'Afrique. Qui veut et qui ne veut pas l'indépendance au Rwanda?

Pour l'indépendance, on trouve le roi, qui se rebiffe, et ces quelque dix mille petits privilégiés issus des Tutsis. Ils veulent également la séparation de l'Église et de l'État, crime suprême pour les Pères Blancs.

Contre l'indépendance dans ces conditions, on trouve donc logiquement : l'Église et l'Administration coloniale. Ils s'appuient, pour les soutenir, sur une base sociale. C'est ce qu'on ose à peine appeler la petite-bourgeoisie hutu. Tous ces Hutus brimés et frustrés par des décennies de tutsification et dont le futur président de la Ire République représente un bon exemple : Grégoire Kayibanda, secrétaire de monseigneur Perraudin. Ces trois composantes, avec l'aide des forces armées venues du Congo et commandées par le colonel Guy Logiest, toutes ces forces ultra-conservatrices vont alors engendrer un phénomène historique extraordinaire : une **révolution**.

Soudain, tous s'émeuvent de la misère des Hutus, l'Église fait des sermons et des lettres appelant à la justice sociale et dénonce les privilèges d'une race ; le colonel Logiest – qui avait épousé une Sud-Africaine et proclame dans ses mémoires l'excellence de l'apartheid – vole au secours des Hutus opprimés et traite les Tutsis d'homosexuels ; le gouverneur Harroy orchestre le mouvement avec les partis hutus. Il s'en vantera dans ses mémoires et définira parfaitement ces événements de 1959 : *une révolution sous tutelle...* On ne saurait mieux dire.

Cette **révolution**, en fait, ce sont les premiers pogroms, les premières tueries, les incendies et le pillage, la première vague d'exilés. En Belgique, tout le monde applaudit. La droite parce que les intérêts belges sont préservés, la gauche, le mouvement syndical et l'extrême-gauche parce que, vu de loin, cela ressemble à une insurrection paysanne contre la noblesse.

Et personne ne prend garde à une chose, fondamentale, et qui relie directement 1959 au futur génocide de 1994 : c'est que la cible de cette violence «révolutionnaire», ce ne sont évidemment pas les Belges qui l'encadrent, mais ce ne sont pas non plus ces quelque dix mille petits privilégiés Tutsis, non, ce sont LES Tutsis. Puisqu'il s'agit d'une race, d'une espèce, puis que ces *Juifs de l'Afrique* venus d'ailleurs sont, **par nature**, des aristocrates, l'ennemi désormais n'a pas besoin d'être riche ou puissant, le Tutsi est un danger pour le Hutu, de naissance.

Suivront alors deux «républiques» dont le fondement moral et la politique seront toujours de *poursuivre la révolution de 1959*. Un concept nouveau domine, celui de *peuple majoritaire*, qui équivaut à *démocratie ethnique*. Autrement dit, puisque les Hutus sont la majorité, tout ce qu'ils entreprennent est *démocratique...* Il est étonnant que cette équation simpliste : «ethnie» majoritaire au pouvoir = démocratie, ait servi et continue à servir pour juger des affaires rwandaises au plus haut niveau de l'État dans certains pays d'Europe, particulièrement en France.

Ces deux «républiques» n'ont amélioré en rien les conditions de vie du peuple rwandais, les Hutus ont vécu dans la misère, les Tutsis dans la peur, la honte, la ségrégation et les persécutions. Une culture de la discrimination et de l'impunité a été développée. Aucune des tueries ne fut jamais punie, elles *continuaient*

1959... Le mécanisme de cet entraînement au massacre était simple. Les pogroms provoquent des exils, le gouvernement interdit le retour des exilés, ceux-ci cherchent à rentrer par la force, le gouvernement provoque alors le massacre des Tutsis de l'intérieur en disant : *C'est votre faute, il ne fallait pas attaquer.*

Voici les dates de ces principaux massacres : 1959, 60, 61, 63, 66, 67, 73, 90, 92, 93, puis le génocide. Après les tueries de décembre 1963, le philosophe Bertrand Russell écrivit : *Ceci est le massacre le plus systématique et le plus horrible que nous ayons vu depuis l'extermination des Juifs par les Nazis.*

Mais le président Kayibanda, dans sa logique, s'adressant aux exilés, leur déclarait cette même année : *À supposer par impossible que vous veniez à prendre Kigali d'assaut, comment mesurez-vous le chaos dont vous seriez les premières victimes ? Je n'insiste pas, vous le devinez, vous vous le dites entre vous, ce serait la fin totale et précipitée de la race tutsi. Qui est génocidaire ?* Un discours prophétique. On trouve toujours à présent des journalistes et des hommes politiques pour attribuer la responsabilité du génocide non pas à ceux qui ont coupé les gens en morceaux, mais aux exilés rentrant en force dans **leur** pays.

Nous conclurons ici, madame Bee Bee Bee, monsieur Jacob, par une dernière question. Pourquoi la France et la Belgique ont-elles rivalisé, ont-elles fait assaut dans les offres de services sur le plan financier, technique et militaire, à un gouvernement dictatorial, corrompu, raciste, coupable de massacres répétés et à grande échelle dans les années quatre-vingt-dix ?

Peut-être, peut-être devrions-nous nous souvenir de l'acharnement diplomatique de la Belgique en 1924, contre les Anglais, afin de conserver un mandat sur ces territoires minuscules et sans richesses naturelles. La Belgique considérait le Ruanda-Urundi comme un point-clé par rapport à un pays voisin, immense, très peuplé et extraordinairement riche : le Congo. La suite de 1994 devait montrer que le sort du Congo était intimement lié à celui du Rwanda. Pour conserver leur influence géo-stratégique dans cette région, certains ont-ils pris, plus ou moins consciemment, le risque du massacre d'un million d'êtres humains ?

Je vous remercie.

3. NAHO SE BENE WACU ?
(ET LES GENS DE CHEZ NOUS ?)

Tandis que le conférencier s'en va, résonne la cithare traditionnelle (inanga), accompagnant une mélopée, composée et interprétée par Massamba, sur laquelle le Chœur des Morts pose la question de la responsabilité des Rwandais eux-mêmes :

MORT 5.⁻

> Dore jye ndacura intimba
> Ndaganya ijoro n'amanywa
> Agahinda ni kenshi
> Ntigateze kuzashira
>
> Nimwunve ese namwe
> Ngo abo ni bene wacu[22]

MORT 2.⁻

> Ce monstre qui nous a tués
> a été conçu dans le ventre colonial.
>
> Mais il est né chez nous, au Rwanda.
> Il a grandi, il a été nourri, élevé
> sur nos collines, dans nos foyers,
> par des Rwandais.
> Nos premiers gouvernants,
> ceux qui, au nom de la démocratie,
> ont aboli la monarchie,
> ce sont eux qui ont distillé
> la haine chez les uns
> et la honte chez les autres.

MORT 5.⁻

> Nimwunve ese namwe
> Ngo abo ni bene wacu[23]

22. Moi je me consume de chagrin
    De nuit comme de jour
    La tristesse est telle
    Qu'elle ne se dissipera pas

    Écoutez donc vous aussi
    Ces gens sont de chez nous.

23. Écoutez donc vous aussi
    Ces gens sont de chez nous.

MORT 3.−

Ils ont installé le peuple dans une logique de crime.
Ils ont inauguré cette « république ethnique »
où tous les Rwandais n'étaient pas égaux devant la loi
ils ont entretenu une culture de l'impunité.

Comme l'éclair précède le tonnerre,
la pensée a précédé l'action.
De longue date,
elle a endormi les consciences,
elle a savamment orchestré le crime,
elle a planifié et structuré la machine génocidaire.

MORT 5.−

Mwambaye urupfu, rwa bene Gihanga
Dore musa n'urupfu, rwa bene Gihanga
Ko mwisasiye urupfu, rwa bene Gihanga
Ko mwiyoroshe urupfu, rwa bene Gihanga[24]

MORT I.−

Tu ne tueras pas dit la loi.
Eux, ils ont dit : *Tu tueras.*
Tu tueras ton voisin, ton filleul, ton neveu.
Tu tueras ta femme et la femme de ton frère.
Tu les tueras tous quand je te donnerai le signal
Quand je te dirai : « le travail peut commencer »,
tu les massacreras, les petits comme les vieux,
les grands, les clairs, les foncés,
tu les tueras jusqu'au dernier.
Tu tueras et ce sera un acte civique.
Tu auras mérité de la patrie.

MORT 5.−

Nimwunve ese namwe
Ngo abo ni bene wacu[25]

24. Vous vous êtes revêtus de la mort des fils de Gihanga
    Vous avez les traits de la mort des fils de Gihanga
    Vous vous êtes alités sur la mort des fils de Gihanga
    Vous vous êtes recouverts de la mort des fils de Gihanga.

25. Écoutez donc vous aussi
    Ces gens sont de chez nous...

MORT 4.-

Dans la société du crime,
les assassins sont respectés.
Ceux qui ont enseigné cette loi,
nous les connaissions,
nous leur obéissions.

Qui étaient-ils,
sinon nos bourgmestres,
nos gendarmes,
nos médecins,
nos prêtres?

Qui a constitué les listes?
Qui a marqué les maisons?
Qui a acheté les tonnes de machettes?
Qui les a distribuées?
Qui?
Sinon les plus hautes autorités du pays?

MORT 5.-

Nimwunve ese namwe
Ngo abo ni bene wacu[26]

MORT 2.-

Amis,
Nous ne prétendons pas savoir exactement pourquoi,
Sur les vertes collines du Rwanda,
Des fils de Gihanga ont coupé d'autres fils de Gihanga
[en morceaux.
Mais nous croyons comprendre ceci :
Arrachez pendant un siècle jusqu'aux racines même
[de la culture d'un peuple,
Et vous planterez, d'un même élan, dans chaque tête,
les germes du crime.

MORT 5.-

Mwambaye urupfu, rwa bene Gihanga
Dore musa n'urupfu, rwa bene Gihanga[27]

26. Écoutez donc vous aussi
Ces gens sont de chez nous.

27. Vous vous êtes revêtus de la mort des fils de Gihanga
Vous avez les traits de la mort des fils de Gihanga.

Mariya Mutambarungu
Ni mushiki wanjye
Mutambarungu mwumva
Akaba mubyara
Wawe
Ko twari abatangana
Abahana inka n'abageni

Nimwunve ese namwe
Ngo abo ni bene wacu
Ko ubundi ishyano nkiryo

Ryatumaga ucibwa
Ugacibwa mu muryango
W'abana b'abantu[28] .

28. Marie Mutambarungu
    C'est ma sœur
    Mutambarungu dont je vous parle
    Était ta cousine
    (Pourquoi donc!) alors que nous étions
    des amis intimes
    (Amis) qui se marient entre eux et s'offrent des vaches

    Écoutez donc vous aussi
    Ces gens sont de chez nous.

    D'habitude une telle ignominie
    Vous faisait bannir de la société
    Vous vous étiez de fait exclus de la famille des humains.

4. « SI C'EST UN HOMME... »

Jacob et Bee Bee Bee ont écouté le chant précédent, assis aux pieds du Chœur des Morts. Sur la mélopée finale, entre en scène un petit dispositif représentant la maison de Jacob, elle comporte deux chaises, une petite table, un samovar, des bougies, des tasses. Invisible à leurs yeux, tel un ange ou un spectre, un Mort du Chœur suit Jacob et Bee Bee Bee et s'assoit près de Jacob pendant la scène suivante :

JACOB.– Êtes-vous satisfaite par ces explications?

BEE BEE BEE.– Je les trouve convaincantes. Pas vous?

JACOB.– Si.

BEE BEE BEE.– Pourtant, nous ne savons toujours pas ce qui se passe dans la tête d'un homme qui assassine son voisin, avec qui, chaque jour, sur le seuil de sa porte, il parlait; ou sur le trottoir de l'école lorsque, ensemble, ils venaient rechercher les enfants.

JACOB.– Nous ne savons pas.

BEE BEE BEE.– Je suis ici, vous êtes là.

JACOB.– Un jour...?

BEE BEE BEE.– ... un jour de haine, j'arrive, j'ai une machette à la main, je vous insulte, je vous frappe, je ris de votre mort. Comment est-ce pensable?

JACOB.– Puis-je me permettre de vous montrer quelque chose? La photographie de mon grand frère. Regardez.

Jacob montre la photo du frère.

BEE BEE BEE.– Il est mort à Auschwitz lui aussi?

JACOB.– Ma mère est morte à Auschwitz, et mon père et mes grands-parents. Pas mon frère aîné, qui avait déjà 12 ans.
Le Mort rwandais pose sa main sur l'épaule de Jacob.
On nous avait cachés lui et moi au plus profond de la campagne, chez de braves gens. Vint la fin de la guerre. Nous sommes revenus à Kielce, une petite ville au centre de la Pologne. Il y avait là cent cinquante Juifs rassemblés, des rescapés. Et mon frère était joyeux d'avoir échappé à l'extermination. Triste aussi,

à cause de la mort des siens. Et voilà, tout soudain, qu'une pierre brise la vitre. Et des cris qui montent. Un jet de haine. *Ce sont eux,* disait une voix, *ils volent les enfants, ils boivent leur sang. À mort!* disait une autre voix. *Ils ont tué un enfant dans la cave de cet immeuble, ils voulaient son sang pour faire le pain azyme,* hurlait une troisième. Ils massacrèrent quarante-deux des nôtres, massacrèrent quarante-deux Juifs rescapés. Moi, je m'étais caché sous une armoire. Quand je suis sorti, j'ai vu mon frère couché près de la porte. Son visage était défoncé par les coups de pelles. Beaucoup d'autres victimes avaient aussi le visage défoncé.

Le Mort rwandais ôte sa main de Jacob. Un silence.

BEE BEE BEE.– Raconter cette histoire vous a été pénible, je le sens.

JACOB.– Je suis toujours dans la honte quand il me faut la raconter.

BEE BEE BEE.– L'émotion ne m'aide pas à penser. Parlez encore, je vous en prie.

JACOB.– Que ressentez-vous exactement?

BEE BEE BEE.– *(hésitante)* Je me sens salie. Le seul fait d'entendre cette histoire, c'est comme une boue dans mon cœur.

JACOB.– Ainsi, dirais-je, se signale le mal absolu. Victime ou témoin, on ne peut l'évoquer sans en être souillé. Mais pas le bourreau. Les assassins de mon frère sont repartis joyeux, apaisés sans doute.

BEE BEE BEE.– On graciait jadis le pendu dont la corde s'était rompue.

JACOB.– Vous approchez. Qui tueriez-vous deux fois, trois fois, dix fois si nécessaire?

BEE BEE BEE.– Je ne sais pas... un virus par exemple, une vermine venimeuse, un rat, un... Oh!

JACOB.– Voilà, vous y êtes. Maintenant, vous pouvez tuer l'enfant du voisin : ce n'est pas un enfant. Vous pouvez éclater la tête du rescapé. Ce n'est pas un homme, mais une erreur. Les rats doivent disparaître, si certains en réchappent, il faut finir le travail. Voilà tout.

BEE BEE BEE.– Comment peut-on me faire croire qu'un homme n'est pas un homme?

JACOB.– Par la souffrance, l'éducation et l'impunité. La souffrance cherche une cause, l'éducation la désigne, l'impunité encourage et libère. Quand une population en est là, ce qu'elle peut entreprendre dans l'ordre du crime est sans limite. Infini, littéralement.

BEE BEE BEE.– Vous pensez que tout le monde peut ainsi s'aveugler?

JACOB.– Il y a des jours où je comprends les assassins. L'horreur nous mange aussi de l'intérieur.

BEE BEE BEE.– Je ne le crois pas.

JACOB.– Il y a des infamies sournoises, et vous y avez cru.

BEE BEE BEE.– Lesquelles? Vous cherchez à m'effrayer!

JACOB.– Voulez-vous en entendre?

BEE BEE BEE.– Je veux tout entendre.

JACOB.– Alors écoutez et regardez.

BEE BEE BEE.– De quoi parlez-vous? Je ne vois rien.

JACOB.– Elles sont là!

BEE BEE BEE.– De qui parlez-vous?

JACOB.– Les hyènes! Elles sont là!

5. VOULEZ-VOUS CHANTER AVEC MOI?

Pendant que la petite maison s'éloigne, emportant Jacob, des sons étranges se font entendre derrière le mur, celui-ci s'entrouvre. Apparaissent successivement un joueur de trombone, Colette Bagimont qui trace un chemin avec de la terre rouge du Rwanda, et trois personnages à tête de hyène qui suivent ce chemin. Colette Bagimont remet un micro à Bee Bee Bee qui va interviewer chaque hyène.

MONSIEUR CEKOMSA.–
> Asseyez-vous, je vous en prie,
> Chère madame Bee Bee Bee,
> Je m'appelle monsieur Cekomsa
> Et je suis votre ami.
> Que de questions! Que de soucis! Oh là là quel chagrin!
> Mais rassurez-vous, le Rwanda : on n'y est pour rien! Hein!

> Depuis la fin des colonies,
> Là-bas c'est l'anarchie.
> Les Africains, oui, c'est comme ça,
> Ne voient que leur ethnie.
> Corruption et dictature, massacre et sorcellerie,
> Dès qu'on a tourné le dos,
> Ils repartent à zéro – Oh!

> Nous n'y pouvons rien, c'est comme ça,
> Chère madame Bee Bee Bee,
> Voulez-vous chanter avec moi?
> Tralalalalala!

BEE BEE BEE.–
> Je connais très bien la chanson,
> Je vous dis trois fois non!
> Laissez-moi passer mon chemin,
> Je veux aller plus loin.

MONSIEUR QUAI D'ORSAY.–
> J'ai ma tanière au Quai d'Orsay,
> Et je suis agacé.
> D'aucuns voudraient mettre la France
> Au banc des accusés.

Pourtant je pose la question :
(Répondez oui ou non !)
Le Rwanda n'était-il pas victime d'une invasion ? Bon !

Au Rwanda, n'est-il pas vrai ?
Ce sont des Africains
Qui ont tué des Africains,
Oui, sacré nom d'un chien !
Nous avons fait de notre mieux pour séparer ces fous !
Mais là-bas un génocide, ce n'est pas comme chez nous –
Ouh !

La France a tenté l'inouï
Pour la démocratie.
Elle a dépensé des millions
En balles et en fusils
Pour la défense du français contre la barbarie.
Tout ce sang versé, c'est la faute aux États-Unis – Hi !

Ne jouez donc pas la gauchiste,
Assez d'idées simplistes !
Voulez-vous chanter avec moi ?
Tralalalalala !

BEE BEE BEE.–

Je connais très bien vos discours
Car j'y ai cru un jour.
Sous vos ongles, je vois du sang.
Remettez vos gants blancs.

MONSIEUR COMPRADORE.–

Permettez-moi de saluer
La plus belle des consœurs.
Journaliste sénégalais,
Je comprends votre cœur.
Vous voudriez des responsables à cet affreux malheur ?
Mais voilà le hic : tout le monde était des massacreurs !

Vous autres, Blancs, avez coupé
Les peuples et les ethnies,
Et à coup de frontières absurdes
Tracé vos colonies,

Votre héritage le voilà :
Hutus, Tutsis et Twas
Se sont tous entre-tués dans le joli Rwanda – Ah!

Il n'y a pas eu génocide,
C'est bien plus compliqué.
J'ai l'impression que les Tutsis
Vous ont intoxiquée.
N'oubliez pas que les Hutus sont la majorité :
C'est contre la dictature qu'ils ont tous résisté – Hé!

Vive Marianne! Vive l'Élysée!
Vive le «pré carré»!
Voulez-vous chanter avec moi?
Tralalalalala!

BEE BEE BEE.–
Votre journal parle d'Afrique,
Mais d'où provient le fric?
Laissez-moi passer mon chemin
Je veux aller plus loin.

LES TROIS HYÈNES–
Vous allez droit vers le suicide,
Ne soyez pas stupide!
Nous n'allons pas nous déchirer
À cause des Rwandais!
Comment pourrez-vous les aider
Si vous êtes isolée?
Chantez, chantez! Chantez avec nous!
Ou cassez-vous le cou! Hou!
Ou cassez-vous le cou! Hou!
Ou cassez-vous le cou! Hou!

6. AMARARO
(LA VEILLÉE)

Le son puissant des tambours du Rwanda se fait entendre, les hyènes s'affolent et frappent sur le mur qui s'ouvre pour les laisser fuir, découvrant aussi l'écran où se projettent en négatif, fantômatiques, des images de tambours, de danses, de vaches, du Rwanda ancien. Les hommes du Chœur des Morts entrent, frappant les tambours. Une femme avec le balai traditionnel efface le chemin des Hyènes, une autre se tient près de Bee Bee Bee.

Les tambourinaires jouent plusieurs rythmes ancestraux. À la fin le mur se referme et une femme du Chœur des Morts dit :

MORT 2.– Les tambours, ingoma, appellent au ralliement.
Les hyènes ici sur le théâtre pour un bref instant nous les avons chassées, mais cette victoire n'est qu'un court répit. La veillée d'armes appelle tous les hommes à rester éveillés.

Les hommes s'avancent, ils portent des lances de parade et déclament leur « Ibyivugo », poèmes autopanégyriques guerriers, puis entonnent le chant de la veillée d'armes : Amararo.

7. LES TROIS VISIONS DE MADAME BEE BEE BEE

Le Chœur des Morts sort en chantant, abandonnant Bee Bee Bee.
Entre Jacob.

JACOB.–

>*Je lutterai pour la vérité*, avait dit Bee Bee Bee.
>Et elle le fit.
>Se dépensa beaucoup.
>*Tout doit être montré, rendu public* proclamait-elle.
>*Nous le devons à un seul visage*
>*et aussi à un million de fois un visage.*
>Petit à petit ses supérieurs commencèrent à s'inquiéter
>
>[de son zèle.
>Qui sait où une bonne intention peut mener?
>Un matin, elle vint au studio.
>*Cette nuit,*
>– c'était la nuit anniversaire
>la nuit où le génocide commença –
>*j'ai eu trois visions*, dit-elle.

BEE BEE BEE.–

>Oui, trois visions pendant que le sommeil tardait
>et que je me tenais
>assise, inquiète, raide, dans mon lit.

JACOB.– *Dans la troisième vision...*

BEE BEE BEE.– Dans la troisième vision, j'ai vu un spectre hanter la roche de Solutré.

JACOB.– *Dans la deuxième vision...*

BEE BEE BEE.– Dans la deuxième, je volais au-dessus des chutes du Niagara.

JACOB.– *Dans la première...*

BEE BEE BEE.– Dans la première, j'ai gravi les pentes du Golgotha.

I. SUR LES PENTES DU GOLGOTHA

Un ample chant rwandais, composé par Muyango, accompagné par
l'orchestre européen, rythme une procession, évoquant celles que

les missionnaires pouvaient organiser en Afrique. Les membres du Chœur des Morts y jouent différents rôles : Saintes Femmes, Saint Jean, et la Vierge Marie portant dans ses bras, sortant de son ventre, un Christ rwandais à la couronne d'épines en or.

La scène oppose un évêque, qui joua un rôle important au Rwanda pendant la « révolution » de 1959, à Bee Bee Bee qui le questionne sur le rôle de l'Église. L'évêque a la forme d'un oiseau géant. À un moment donné du dialogue, le Christ Noir est décapité par un Interahamwe à la tête ornée de feuillages.

LE CHŒUR DES MORTS.‒

Wagiye he Mana y'i Rwanda
Wanteye umugongo
Nali inshuti yawe
Wilirwaga ahandi
Ugataha I Rwanda
Umunsi utaharaye
Baraye badutsembye
Wagiye he Mana y'i Rwanda

Mu bana icumi
Nali bucura bwabo
Bamvukije ababyeyi
Banshutsa nkivuka
Bakuru banjye
Babatemaguye ndeba
Babansiga iruhande
Ngo nzazire intimba
Wagiye he Mana y'i Rwanda[29]

29. Où es-tu Dieu du Rwanda
    Tu m'as tourné le dos
    Alors que j'étais ton ami
    Tu as toujours passé tes journées ailleurs
    Mais tu rentrais toujours dormir au Rwanda
    Et le jour où tu n'es pas rentré
    Ils nous ont massacrés le soir même
    Où es-tu donc passé Dieu du Rwanda

    D'une famille de dix j'étais le cadet
    Ils m'ont arraché à mes parents
    Et les ont tués, me sevrant dès la naissance
    Mes aînés furent tailladés sous mes yeux
    Leurs corps abandonnés près de moi
    Pour que je meure de chagrin
    Où es-tu donc passé Dieu du Rwanda

Nacumuye iki Mana y'I Rwanda
Ko bangize imfubyi
Nkili muto cyane
Nsigara mw'itongo
Ndi igisekeramwanzi
Nirara iruhande ntali mbuze undaza
Nacumuye iki Mana y'I Rwanda

Mbe Mana y'I Rwanda icyo nkwibaliza
Imfura z'u Rwanda zapfuye urudasanzwe
Babaye ibitambo
By'ibicumuro batazi
Babambwe nka Gashi
Waciye inka amabere
Bacumuye iki Mana y'i Rwanda[30]

BEE BEE BEE.–

J'étais sur le chemin du calvaire
me tenant humblement derrière la très sainte mère
[de Jésus.
Et lorsque celui-ci parut portant sa croix sur son épaule
je vis la très sainte femme tressaillir de toute son âme.
Et moi aussi j'étais agitée.
Le dieu-fait-homme avançait péniblement.
Bientôt, il tomba sur le sol.
Me retournant, je vis un homme qui pleurait.
Qui êtes-vous ? lui dis-je.
Et il se nomma.

---

30. Quel péché ai-je commis Dieu du Rwanda
   Pour faire de moi un orphelin
   Dès ma plus tendre enfance
   Et me laisser dans la désolation
   À l'âge de l'innocence
   Où l'enfant sourit autant à l'ami qu'à l'ennemi
   Désormais, je suis la seule compagnie de mes nuits
   Alors que je n'avais jamais vécu dans la solitude
   Quel péché ai-je commis Dieu du Rwanda
   Réponds-moi, Dieu du Rwanda
   La noblesse de ce pays a subi une mort inouïe
   Elle a connu une fin sans nom
   Elle a payé le prix de péchés qu'elle ignorait
   Elle fut empalée comme l'a été jadis Gashi
   Cet homme qui avait commis le crime de mutiler le bétail
   Quel péché ont-ils commis Dieu du Rwanda

ÉVÊQUE.–

J'étais évêque au Rwanda quand les malheureux Hutus
relevèrent enfin la nuque
et qu'il fut mis un terme à l'arrogante domination tutsi.
C'était en 1959.

BEE BEE BEE.–

Et il continuait de pleurer.
Et moi,
je dis alors à cet homme que je ne comprenais pas comment
des chrétiens avaient pu en arriver là.

ÉVÊQUE.–

Une race se libère, une autre race l'asservissait.
Faut-il expliquer plus?

BEE BEE BEE.–

Je ne nie pas l'existence d'une domination tutsi,
sans doute violente, brutale.
Mais certains Tutsis seulement exerçaient
la domination. D'autres étaient pauvres, sans pouvoir,
et tous étaient aussi des fils de Dieu.

ÉVÊQUE.–

Le Tutsi est cruel.
Dur.
Toujours cruel.
Toujours dur.

BEE BEE BEE.–

Et les enfants? Fallait-il massacrer des enfants?
De quoi sont coupables des enfants encore dans le ventre
de leur mère?

ÉVÊQUE.– Il fallait éradiquer une injustice! Vous n'avez pas vécu là-
bas, comment pourriez-vous comprendre? Lorsque j'ai pu aider au
relèvement de la race hutu, je l'ai fait dans l'enthousiasme, dans
la joie de celui qui sait qu'il agit bien. Mon bras bougeait au vent
de la providence. Je n'ai réclamé la mort de personne. J'ai prêché
l'harmonie, l'égalité et la justice, j'ai vu devant moi un peuple
majoritaire et j'ai demandé que cette majorité-là soit à la tête du
pays. Quoi de plus naturel? Mes prédécesseurs avaient soutenu la

race tutsi : c'était une maladresse, une injustice, je le reconnais. Il fallait revenir à un bon équilibre. Et si, au fil des années, la mort violente est néanmoins venue, massive, effrayante : c'est que Dieu qui voit ce que nous ne voyons pas et qui sait ce que nous ne savons pas a jugé bon d'en user de la sorte. Regardez, ma sœur, ce que le Très-Haut, – le Père – exige de son Fils. Voyez Jésus comme il souffre. Lui, lui, de race divine, ils l'ont flagellé, ils lui ont craché au visage, ils ont enfoncé sur son front la couronne d'épines ! Et maintenant, dans la moquerie et l'insulte, ils le conduisent à la mort pour que s'accomplisse la parole de l'Écriture : *Et il a été mis au rang des méchants.*

Décapitation du Christ.

Irez-vous contre cette dure sagesse-là ?

Qui n'aimerait que l'amer calice ne s'éloigne de ses lèvres ? Croyez-vous que je chérisse cet amer calice qu'est devenue ma révolution rwandaise ?

Je tiens ce qui s'est passé au Rwanda pour une chose épouvantable. Mais je soutiens également que si elle est advenue, c'est qu'elle devait advenir et je vous demande, moi, de chercher au fond de votre âme les raisons de la souffrance et du sacrifice d'une race. Les Juifs aussi ont beaucoup souffert. Croyez-vous que ce soit sans raison ? Pauvre Rwanda. Pauvre terre bénie. Dieu ne persécute pas à la légère. Il ne déclenche pas son courroux par caprice.

Reprise du chant rwandais.

BEE BEE BEE.–
    Pendant qu'il parlait
    le cortège s'était remis en route.
    Lorsque Jésus passa devant nous, l'évêque pleurait
    de plus belle
    et se frappait la poitrine.
    Et il disait à Jésus :
    Seigneur, souvenez-vous de moi
    lorsque vous serez arrivé en votre royaume.
    Je ne sais pas ce qu'il advint après.
    Je sais seulement que j'ai fermé les yeux un long moment
    et que c'est d'abord le fracas des eaux que j'entendis.

Un grondement de fureur.
Je sentis que toute pesanteur m'avait quittée.
Je volais librement dans les airs.
Lorsque je rouvris les yeux
je vis sous moi le bouillonnement
des chutes du Niagara.
Un homme se tenait là et un autre s'approchait de lui.

2. LES LARMES DU GÉNÉRAL

Transportée du Golgotha au-dessus des chutes du Niagara (Canada), Bee Bee Bee découvre deux hommes qui longent le gouffre. Un envoyé du secrétaire général de l'ONU et le général qui commandait la MINUAR au Rwanda en 1994. La Vierge et le Christ restent en scène. Le général est pourvu d'une énorme tête de molosse avec béret bleu.

ENVOYÉ.– Général, c'est une folie! Venir ici en pleine nuit! Ne voyez-vous pas le danger?

GÉNÉRAL.– Pourquoi? On y voit comme en plein jour! Avançons!

ENVOYÉ.– Pardonnez-moi, je reste ici.

GÉNÉRAL.– Avez-vous peur?

ENVOYÉ.– La falaise est dangereuse et le vent souffle fort.

GÉNÉRAL.– Venez. *(le général s'approche du vide)* Les chutes du Niagara, quel spectacle! Les plus belles chutes qu'on puisse imaginer, non? Vous ne trouvez pas?

ENVOYÉ.– Monsieur, le secrétaire général des Nations Unies m'envoie...

GÉNÉRAL.– Approchez! Pas mal, cet abîme, non?

ENVOYÉ.– Monsieur, le secrétaire général des...

GÉNÉRAL.– Et que vais-je devoir dire au secrétaire général des Nations Unies? Qu'il m'a envoyé un émissaire peureux? Penchez-vous. Je vous assure que vous ne verrez rien d'autres qu'une eau déchaînée. Rien d'autre, je le jure. Aucune trace de visages d'hommes qu'on assassine, pas une goutte de sang, pas de ventres ouverts, pas de poignets coupés, pas d'enfants et de femmes égorgés. Donc : rien qui puisse vous faire peur. Le bruit des chutes du Niagara est bien assez fort pour couvrir les millions de cris venus d'Afrique, vous ne croyez pas, Monsieur?

ENVOYÉ.– Si, Général.

GÉNÉRAL.– C'est loin l'Afrique pour un homme blanc. Très loin.

ENVOYÉ.– Le secrétaire...

GÉNÉRAL.– général des Nations Unies, oui...

ENVOYÉ.– s'inquiète de votre...

GÉNÉRAL.– Il s'inquiète pour moi? Le secrétaire s'inquiète pour moi? C'est gentil. Je suis touché. J'aurais préféré je vous l'avoue qu'il s'inquiète davantage d'un million de Rwandais massacrés. Mais, à New York, on ne le savait peut-être pas! C'est loin de tout, New York! D'Afrique, les nouvelles sont lentes à leur parvenir. Le cauchemar du génocide rôde sur le Rwanda depuis trente ans, mais c'est un point d'information qui trouve très difficilement l'oreille des nations civilisées.

ENVOYÉ.– Général, nous savons que ce qui s'est passé au Rwanda vous a profondément choqué.

GÉNÉRAL.– Choqué, oui... Ne trouvez-vous pas le mot un peu faible, Monsieur?

ENVOYÉ.– Sans doute, Général.

GÉNÉRAL.– Mais dans la diplomatie, c'est votre façon de faire! Mesuré, prudent. Moi, j'étais sur place. J'attendais pour intervenir militairement, j'attendais du matériel et j'attendais un feu vert. Une force équipée, mandatée, déterminée aurait pu arrêter les massacres. Mais voilà, il fallait être bien sûr que c'était un géno-cide, n'est-ce pas? C'est difficile à définir, ces choses-là. Les morts civils s'entassaient sur les écrans de télévision, il ne fallait surtout pas se précipiter.

ENVOYÉ.– Les Nations Unies ne peuvent aller ni plus vite, ni plus loin que les pays qui les composent. Vous le savez comme moi, Général. Notre organisation est tributaire de la volonté des États.

GÉNÉRAL.- Dans ce cas-ci, de la criminelle absence de volonté des États!

ENVOYÉ.- Le monde entier va vous interroger. Que direz-vous?

GÉNÉRAL.- Vous voulez le savoir?

J'ai honte. Je baisse la tête comme un homme qui a perdu toute arrogance. J'ai honte d'avoir dû rester les bras croisés. D'avoir vu ce que j'ai vu, d'avoir su ce que j'ai su et de n'avoir pas pu intervenir. J'ai attendu un signe de la communauté internationale. Rien n'est venu. Un silence de lâcheté, des oreilles qui se ferment, des États qui, en poussant des gémissements d'indignation, acceptent que le mal s'accomplisse : voilà le triste spectacle de notre impuissance et de notre faute. C'est ça que je dirai. Et ceci encore : certains jours, quand le souvenir de ce qui n'a pas été fait devient trop lancinant, je marche aux bords des chutes du Niagara, le tumulte de l'eau y est si fort qu'il me mouille le visage. Mais ce qui coule des yeux, ce sont des larmes.

ENVOYÉ.- Monsieur, je vous adjure de reprendre votre sang froid. Dois-je vous rappeler à vos devoirs de réserve?

GÉNÉRAL.- Cher ami, venez plus près du vide, je ne vous entends pas bien.

MORT 4.-
Mais à quoi peut bien nous servir une fin pareille?
Il ment, le général aux larmes amères.
L'épouvantail mélancolique se cache derrière son secrétaire général! Pas de mandat? Pas de **feu vert**?

MORT 5.-
Mais son mandat, en toutes lettres,
lui ordonnait de protéger la population!
Là était son devoir!
Les armes dont il disposait pour arrêter les assassins,
ses hommes les ont graissées entre deux parties de cartes à la caserne!

LE CHŒUR DES MORTS.- *(ensemble)*
Et pendant ce temps, le couteau nous déchirait.
N'as-tu rien dit?
Vraiment rien dit?

BEE BEE BEE.–

Je n'ai rien pu dire. Car à ce moment, j'ai agité les bras
comme une à qui manque l'habileté de l'oiseau
lorsque survient le danger.
Et, inquiète,
j'ai vu disparaître les chutes.
Je ne percevais déjà plus le fracas
Un son très doux l'avait remplacé.
En tous cas, je sentais la terre sous mon pied.
Je marchais d'un bon pas
m'appuyant à une canne.
Et me retournant, je vis que je n'étais pas seule.
Je vis deux hommes s'approcher de moi.
Ils ne me voyaient pas
et l'un disait à l'autre :
*Monsieur, nous voilà au sommet de la roche de Solutré. C'est
ici qu'il faut attendre.*

3. PÈRE ET FILS

*Bee Bee Bee se trouve maintenant au sommet de la roche de
Solutré, endroit célèbre en France pour avoir été le lieu d'une sorte
de pèlerinage annuel d'un président de la République aujourd'hui
défunt. Nous découvrons son fils, guidé par son chauffeur, attendant en ce lieu le fantôme de son père, tel Hamlet sur les remparts
d'Elseneur. Les trois personnages sont joués par des acteurs africains (c'est essentiel). La Vierge, le Calvaire et le général restent
en scène.*

CHAUFFEUR.– Monsieur, nous voici au sommet de la roche de
Solutré. C'est ici qu'il faut attendre.

FILS.– Ce que tu prétends, est-ce la vérité?

CHAUFFEUR.– Oui, Monsieur, on a vu votre père.

FILS.– Quand?

CHAUFFEUR.– À plusieurs reprises. Des paysans l'ont vu comme de
son vivant remonter le chemin escarpé de la roche.

FILS.- Et tu dis qu'il se tenait ici?

CHAUFFEUR.- À cet endroit précis.

FILS.- Faudra-t-il attendre longtemps?

Apparition.

CHAUFFEUR.- Regardez, voici la chose.

FILS.- On dirait qu'elle cherche à parler à quelqu'un.

CHAUFFEUR.- Je le crois bien. Ça vient vers nous.

FILS.- Laisse-moi, je vais lui parler.

CHAUFFEUR.- Monsieur, prenez garde à vous.

FILS.- Retire-toi.

Sortie chauffeur.

PÈRE.- Est-ce toi, mon fils?

FILS.- Qui êtes-vous? Nommez-vous!

PÈRE.- Je suis l'esprit de ton père, condamné à la nuit et aux flammes jusqu'à ce que mes erreurs soient consumées et purifiées.

FILS.- Père.

PÈRE.- Mon fils, j'ai des reproches à te faire. Tu sers bien mal ma cause. On dit partout qu'on voit des morts d'Afrique réclamer justice sur les ondes.

FILS.- C'est vrai, père.

PÈRE.- Et toi, tu ne m'en as rien dit.

FILS.- Je n'osais pas, père.

PÈRE.- Homme de peu de foi. Tu devais m'avertir. Doutes-tu de moi?

FILS.- Non, je ne doute pas. J'ai peur.

PÈRE.- Peur de quoi?

FILS.- Là-bas, ils blasphèment. Ils sont virulents. Les plus pondérés disent qu'un lourd soupçon de complicité pèse sur vous.

Mais certains, poussant la violence verbale au-delà du tolérable, vous appellent — j'hésite à le dire —, vous appellent...

LE CHŒUR DES MORTS.—
Tonton Machette.
Tonton Machette.
Tonton Machette.
Tonton Machette.

FILS.— Et ici même, chez nous, certains de vos anciens ministres disent publiquement que le mal a été commis.

PÈRE.— Rocard?

FILS.— C'est lui.

PÈRE.— Cet homme est un traître! Un ministre félon. Est-ce ma faute si la violence d'Afrique s'est déchaînée? Dans ces pays, la barbarie est chose commune, il le sait aussi bien que moi. Je n'ai rien à voir avec les massacres du Rwanda. C'est une terrible réalité, bien sûr, mais la France est sans reproche. Aucun reproche. Je n'allais tout de même pas abandonner ces territoires aux Ougandais, aux Américains, aux Anglo-saxons! Cette vieille crapule d'Habyarimana, c'est tout ce que j'avais sous la main. Au moins, il parlait correctement le français et il allait à l'église, c'était déjà pas si mal. Je n'ai pas voulu cette tragédie, je ne l'ai pas cherchée. Même un président de la République, même moi, je ne fais pas ce que je veux. Leur as-tu dit?

FILS.— Oui, père. J'ai été ferme. Un jour, les médias anglais vous ont accusé de tous les maux. Savez-vous ce qu'ils ont osé me demander? *Monsieur, que pensez-vous de l'allégation suivante : cette machine à tuer n'aurait jamais été opérationnelle si vous et votre père n'aviez donné à ce gouvernement de tels encouragements?*

PÈRE.— Qu'as-tu répondu?

FILS.— Je leur ai crié : *Bullshit!*

PÈRE.— Qu'est-ce que ça veut dire?

FILS.— Ça veut dire quelque chose comme «merde», ou «va te faire foutre».

PÈRE.– Alors pourquoi n'avoir pas dit «merde» ou «va te faire foutre»? Depuis quand parle-t-on anglais aux Anglais? Est-ce que le français ne suffit pas? Le général Cambronne à Waterloo, qu'est-ce qu'il a dit? Hein? Parfois la France perd la bataille, mais toujours en français! Il faut faire quelque chose. Demain, à vingt heures, je pourrais peut-être faire une apparition sur les télévisions, qu'en penses-tu?

FILS.– Vous allez apparaître à la télévision?

PÈRE.– Les Rwandais le font bien! Pourquoi pas moi? Tu ne m'en crois pas capable? Quand j'étais vivant, j'ai toujours fait un tabac.

Entrée chauffeur.

CHAUFFEUR.– Monsieur! Monsieur!

PÈRE.– Qu'est-ce qu'il veut celui-là?

CHAUFFEUR.– Monsieur, pardonnez-moi. Il faut partir vite.

FILS.– Que se passe-t-il?

CHAUFFEUR.– Là-bas, un groupe de femmes rwandaises. Elles avancent, elles viennent à vous. J'ai tenté de les arrêter, j'ai dit : *Femmes, restez où vous êtes. Que voulez-vous?*
Et l'une répond en ces termes : *Si le président est là, qu'il nous dise pourquoi des soldats français ont appris à nos ennemis les façons de nous tuer;*
et une autre dit : *Si le président est là, qu'il sache que j'ai travaillé à l'ambassade de France pendant dix ans, j'étais secrétaire, j'étais appréciée. Les soldats français arrivent, ils évacuent les Blancs. « Et moi, qu'allez-vous faire pour moi », ai-je demandé. « Si vous ne faites rien, je suis morte ». Et les soldats français sont embarrassés, ils voient bien que j'ai raison. Les soldats s'excusent : « on a des ordres ». Ils partent, les extrémistes hutus se réjouissent, ils viennent et nous massacrent.*
Ainsi parlent toutes ces femmes et la colère de toutes monte vers vous, et ensemble elles crient : *Président, montre-toi, dis-nous pourquoi tu protèges les assassins?*

FILS.– Père, ça se gâte, il faut partir. Venez vite.

PÈRE.– Je suis ému. Le malheur de ces hommes et de ces femmes me touche. Accueille-les en mon nom. Dis que je souffre. Dis-leur de se méfier des emportements de la vengeance, et aussi de ne pas faire confiance à leurs nouveaux amis américains. Comme tous les États, l'Amérique n'a en vue que ses intérêts. Dis-leur aussi que ce qui est arrivé au Rwanda est une tragédie, et que j'aurais voulu que cela ne se produise pas. Je n'ai pas choisi mon allié. J'ai seulement voulu sauvegarder l'influence française en Afrique. J'ai échoué. Une France qui perd son influence dans le monde, c'est aussi une tragédie. Adieu, fils. Adieu ! Lave mon nom du crime dont on l'accable et que le peuple de France se souvienne de moi.

Tandis que le fantôme du père disparaît dans le mur au son d'une Marseillaise sournoisement dissonante qui devient progressivement le thème du Golgotha, la scène se vide des créatures des Visions. Une très longue table, trois chaises, un cendrier, le tout en acier.

JACOB.–

Après avoir parlé, Bee Bee Bee restait silencieuse.
Moi, je n'osais rien dire.
Je voyais bien qu'elle était habitée d'un grand désarroi
que le rappel de ces visions
l'avait plongée dans d'autres visions et que ces visions
allaient en engendrer d'autres encore.
Au terme d'un long cheminement intérieur
elle dit seulement...

BEE BEE BEE.–

Les fantômes sont dans ma tête,
ils n'en sortiront jamais plus.

JACOB.–

Et me nommant par mon nom,
Elle dit encore qu'elle me savait gré
D'être là,
D'avoir veillé avec elle.
Elle dit...

BEE BEE BEE.–

Maintenant il faut que les choses s'accomplissent.

8. FAÇON DE FABRIQUER

BEE BEE BEE.– Dos Santos, tout le monde est-il bien arrivé ?

DOS SANTOS.– Oui, Bee Bee Bee. Les témoins sont dans cet hôtel. Ils se tiennent à notre disposition.

BEE BEE BEE.– Bien. Je rappelle que nous commençons par la vision des images du génocide.

DOS SANTOS.– Sans préparation ?

BEE BEE BEE.– Sans autre préparation que mes quelques mots d'accueil, c'est ce que nous avions décidé.

DOS SANTOS.– C'est votre idée.

BEE BEE BEE.– Oui, c'est mon idée.

DOS SANTOS.– Je ne suis toujours pas sûr que ce soit la bonne, je me permets de vous le redire.

Entrée d'un homme.

MONSIEUR UER.– Bonjour à tous.

BEE BEE BEE.– Monsieur.

MONSIEUR UER.– Dos Santos m'a prévenu. Je voudrais voir les images. Ça ne vous ennuie pas Bee Bee Bee ?

BEE BEE BEE.– Si. Cela m'ennuie un peu.

MONSIEUR UER.– Ne prenez pas la mouche. C'est mon boulot de responsable de l'UER. Et compte tenu des circonstances...

Huit minutes d'images du génocide, en silence total, sauf un extrait radiophonique de RTLM, sous-titré français, une seconde fois sous-titré anglais et une troisième, uniquement en kinyarwanda.

RTLM.–
En vérité tous les Tutsis périront ;
ils disparaîtront de ce pays.
Ils croient qu'ils ressusciteront
mais ils disparaissent progressivement,
grâce aux armes qui les frappent
mais aussi parce qu'on les tue comme des rats.

Mais au fait les maquisards (les Tutsis)
qui me téléphonaient...
Où sont-ils maintenant ?
Hé ! C'est sûr qu'ils ont été massacrés. Venez chanter :
Venez chers amis, félicitons-nous !
Ils ont été exterminés !
Venez chers amis, félicitons-nous !
Dieu est juste !

Après la vision des images, la lumière revient. Un long silence. Dos Santos se ronge les ongles. UER *allume un cigare (ou quelque chose comme ça).*

MONSIEUR UER.– Épouvantable. C'est glaçant !

BEE BEE BEE.– Ce sont les faits.

MONSIEUR UER.– On a beau savoir, on ne comprend pas ! Vous comprenez, vous, Dos Santos ?

DOS SANTOS.– J'essaie, Monsieur.

MONSIEUR UER.– Cette explosion de violence ? Toute cette haine ? Caïn tue Abel, oui, voilà, depuis la nuit des temps, Caïn tue Abel ! En tous cas, ces images, quel choc ! L'émission commence comme ça ?

BEE BEE BEE.– Oui, pourquoi ?

MONSIEUR UER.– Par un coup de poing à l'estomac, en somme.

DOS SANTOS.– Bee Bee Bee pensait...

MONSIEUR UER.– C'est fort. Vous ne craignez pas de mettre directement le spectateur K.-O. ?

DOS SANTOS.– Moi, j'ai mon opinion : impossible de passer ça, il faut une introduction.

BEE BEE BEE.– C'est ça, l'introduction. On tue, cela produit des cadavres, puis des os, puis plus rien : l'herbe repousse déjà. À nous d'empêcher qu'avec les os ne disparaisse aussi la mémoire.

MONSIEUR UER.– Tout de même. Voyons lucidement les choses. Il est vingt heures quarante. La publicité vient de passer. Les gens se mettent à table. Dans leur assiette que trouvent-ils ? Ça ! Huit minutes de ça ! Pardonnez-moi, c'est un peu indigeste. Trop c'est trop.

BEE BEE BEE.– Huit minutes pour évoquer trois fois trente jours, trois fois trente jours de vingt-quatre heures, huit minutes d'images pour deux mille cent soixante heures d'agonie, c'est trop?

MONSIEUR UER.– Bee Bee Bee ne m'emmerdez pas avec votre pseudo comptabilité! Vous savez comment ça va se passer? Les deux premières minutes, les gens seront révoltés, ils seront remplis d'effroi. À la troisième, ils seront écœurés. À la quatrième, ça ne leur fera plus rien du tout et à la sixième, ils commenceront doucement à rigoler en disant ça va, on a compris.

BEE BEE BEE.– Qu'est-ce qui vous dérange tellement, Monsieur? Et ne convient-il pas, ici, de déranger? Si je dis tranquillement *un million de morts*, vous ne sursautez pas. Si je montre quelques dizaines de corps, vous voilà révulsé. Pourquoi?

MONSIEUR UER.– Le monde a ses lois. La télévision aussi a ses lois. Le téléspectateur n'a pas à être brutalisé. Ni démoralisé! Ni culpabilisé. Ce qui se passe en Afrique n'est tout de même pas de **sa** faute.

DOS SANTOS.– On pourrait couper? Resserrer le montage?

MONSIEUR UER.– *(à Bee Bee Bee)* Quel sera l'effet? Au lieu d'attirer, d'intéresser, vous allez rebuter.

DOS SANTOS.– Je ne sais pas si la télévision à ses lois mais c'est certainement un langage. Si on y met un rythme soutenu, rapide, je suis sûr que ça aura un tout autre impact. On aura dit la même chose, l'essentiel sans agresser le téléspectateur. Vous ne croyez pas?

MONSIEUR UER.– Et ce silence sur les images! C'est quoi? Je suppose que ce n'est pas la version définitive?

BEE BEE BEE.– Si.

Silence.

MONSIEUR UER.– Il n'y aura pas de musique?

BEE BEE BEE.– Non.

DOS SANTOS.– Euh... J'ai proposé une musique. Il faut adoucir la situation. Adoucir n'est d'ailleurs pas le terme correct. Je voyais une musique lente, assez grave, un mouvement musical d'une réelle qualité artistique. Enfin, qui puisse en quelque sorte apprivoiser l'émotion trop brute, trop brutale.

MONSIEUR UER.– La musique que vous voudrez, ça m'est égal, mais s'il vous plaît, quelque chose qui rompe avec ce silence d'éternité.

BEE BEE BEE.– Je ne suis pas d'accord. Et d'abord, il y a du son : RTLM, la radio génocidaire et même une chanson. On entend le message, on voit le résultat.

MONSIEUR UER.– Et vous croyez qu'il faut au téléspectateur huit minutes pour comprendre ça? Est-ce que vous vous rendez compte qu'avec ce silence vous sortez complètement du journalisme? Ça, ce n'est plus de l'information, c'est de l'esthétisme. C'est un «effet». Vous faites des «effets» avec l'horreur. Je ne trouve pas ça très ragoûtant. *(un temps)* À la limite, remettez au moins le son synchrone : les voitures, les bruits de pas, le vent...

BEE BEE BEE.– Les mouches?

MONSIEUR UER.– Mais c'est insensé Bee Bee Bee! C'est de la folie furieuse! Qu'est-ce qui vous prend?

BEE BEE BEE.– Je vous écoute, Monsieur. Je respecte votre expérience et je comprends vos responsabilités.

MONSIEUR UER.– Nous ne sommes pas là pour faire de la provocation. Nous sommes là pour informer, c'est tout. Et c'est déjà pas si mal.

BEE BEE BEE.– Mais j'ai bien l'intention d'informer, Monsieur. Aussi bien que je puis, je vous l'assure.

MONSIEUR UER.– Alors, parlez! Contrairement à ce que vous croyez l'image ne parle jamais d'elle-même. Assumez votre rôle.

BEE BEE BEE.– (...)

MONSIEUR UER.– Bee Bee Bee, je vous en conjure, si vous tenez à tout prix à ce fichu silence, alors réduisez-moi ça de moitié. Quatre minutes.

BEE BEE BEE.– Six. Six minutes.

Un temps.

MONSIEUR UER.‑ Tout de même, c'est un gros risque. Un très très gros risque, en avez-vous conscience ? Si ça foire, vous en porterez personnellement la responsabilité.

Il fait signe à Dos Santos, conciliabule près de la porte. Sortie.
Bee Bee Bee reste seule. Elle ferme les yeux. Jacob vient derrière elle.

9. À TRAVERS NOUS L'HUMANITÉ

Le Chœur des Morts, qui a observé toute la scène précédente, se lève et vient au premier plan face au public, comme à la fin de sa première apparition, dans Itsembabwoko.

JACOB.− Bee Bee Bee ne fit jamais son émission.

MORT 2.−

À travers nous l'humanité
vous regarde tristement.
Nous, morts d'une injuste mort,
entaillés, mutilés, dépecés,
aujourd'hui déjà : oubliés, niés, insultés.
Nous sommes ce million de cris suspendus
au-dessus des collines du Rwanda.
Nous sommes, à jamais, ce nuage accusateur.
Nous redirons à jamais l'exigence,
parlant au nom de ceux qui ne sont plus
et au nom de ceux qui sont encore ;
nous qui avons plus de force qu'à l'heure où nous étions vivants,
car vivants nous n'avions qu'une courte vie pour témoigner.
Morts, c'est pour l'éternité que nous réclamons notre dû.

LE CHŒUR DES MORTS.− *(chacun à son tour)*

Narapfuye, baranyishe, sindaruhuka, Sindagira amahoro.
Je suis mort, ils m'ont tué, je ne dors pas, je ne suis pas en paix.

Ici, en spectacle, se situe le deuxième entracte.

Cinquième partie

LA CANTATE DE BISESERO

L'orchestre, les deux chanteuses, cinq récitants, le tout rassemblé de la façon la plus simple visuellement et la plus efficace acoustiquement. Il est souhaitable que le chœur soit composé d'acteurs africains et européens.

PROLOGUE

CORYPHÉE.–

Les tueries perpétrées sur les collines de Bisesero
En avril, mai et juin 1994,
Occupent une place unique
Dans l'histoire du génocide des Tutsis rwandais.

Les dizaines de milliers de personnes
Qui s'enfuirent vers ces collines
Situées à Kibuye, dans la peur et l'espoir
Luttèrent jusqu'à leur dernier souffle
Contre les forces de la mort.

Dans un premier temps,
Tutsis, Hutus et Twas
Se défendirent ensemble
Contre les miliciens de la région.
Nombreux furent les assassins
Blessés ou tués par les résistants,
En ces premiers jours.

Cependant,
Les nouvelles
Concernant l'attitude de défi des réfugiés sur ces collines
Parvinrent aux oreilles du gouvernement.
Il devint d'une importance nationale d'éradiquer totalement
La résistance
À Bisesero.

Des chefs génocidaires expérimentés réussirent à diviser
Hutus et Twas
D'avec les Tutsis.
Ensuite,
Des forces considérables furent assemblées :
Soldats, miliciens, simples civils, ivres de fureur,

Furent lancés à l'assaut des collines de Bisesero
De l'aube au coucher du soleil,
Jour après jour,
Pendant trois mois.
Épuisés, affamés, écrasés sous le nombre,
Des cinquante mille réfugiés sur ces collines,
On estime qu'un millier seulement survécut
À Bisesero.

CHORUS.–

Sur la colline de Muyira
Couverte de forêts et de buissons
Vivaient avant le génocide
De nombreux hommes forts.

MUYIRA MUYIRA MUYIRA MUYIRA MUYIRA
MUYIRA MUYIRA MUYIRA MUYIRA MUYIRA

Entre buissons et forêts
Sur la colline de Muyira
Reste une poignée d'hommes
Une poignée d'hommes
Qui maintenant meurent de chagrin.

MUYIRA MUYIRA MUYIRA MUYIRA MUYIRA
MUYIRA MUYIRA MUYIRA MUYIRA MUYIRA

1. L'EXODE VERS BISESERO

CORYPHÉE.–

Le 7 avril 1994,
Les nouvelles des premières violences à l'encontre des Tutsis
Parvinrent à Bisesero.
Dans les secteurs voisins des maisons brûlaient.

Gishyita,
Où se trouvent la plupart des collines de Bisesero,
Fut l'une des premières communes touchées.

D'abord furent tués les Tutsis aisés
Et ceux qui avaient fait des études.
Les autres commencèrent à fuir.
Ne sachant pas très bien d'où venait l'attaque
Ni le but de cette violence,
Les habitants de Bisesero,
Hutus, Tutsis et Twas,
Se rassemblèrent pour défendre leurs vies,
Leurs maisons et leurs biens.

Jadis, dans les massacres de 1973 et 1992,
Ils s'étaient défendus vaillamment.
Ils croyaient pouvoir faire de même aujourd'hui.
Nul ne savait qu'il s'agissait d'une tuerie planifiée
Et sans autre limite que le cadavre du dernier Tutsi.
Un génocide.

TÉMOIN HOMME.–

Après la mort du président Habyarimana,
Des personnalités influentes de Gisovu
Ont circulé partout avec leurs voitures
Pour faire comprendre aux Hutus
Que « leur » président avait été tué
Par les Tutsis.
Ils appelaient à la vengeance.

TÉMOIN FEMME.–

D'abord ils ont brûlé nos maisons,
Puis ils ont mangé nos vaches,
Nous avons fui sur les collines.
C'était le 9 avril 1994.

CORYPHÉE.–

Terrifiés par la violence qui se propageait,
Les habitants grimpèrent
À grand peine
Jusqu'aux sommets des nombreuses collines
De Bisesero.

Pour se cacher plus facilement,
Beaucoup choisirent de se regrouper sur une colline
Couverte de forêts et de buissons,
Muyira.
C'est là,
Sur Muyira,
Que les réfugiés livrèrent leurs plus grands combats.
Là,
Sur Muyira
Ils se levèrent emplis d'espoir et de désespoir, donnant,
Selon le mot d'un des survivants :
Jusqu'à la dernière goutte de leur sang pour défendre
[leur vie.

TÉMOIN ENFANT.–

Mon père
Est venu me demander de conduire immédiatement les
[vaches,
Sur la colline
De Muyira.
Là,
J'ai vu
Beaucoup de gens
Qui étaient rassemblés et qui avaient peur.

À partir de ce jour-là, nous sommes restés sur cette colline.
Nous passions des journées entières sans manger.
Nos vaches n'avaient pas assez d'herbe.
Souvent la pluie tombait et les enfants
Grelottaient de froid.
Souvent la pluie tombait et les enfants
Grelottaient de froid.

CORYPHÉE.‒

Le 9 avril déjà
Des milliers de réfugiés s'entassaient sur la colline.

Durant les semaines suivantes, les Tutsis
Arrivèrent des quatre coins de la région à Bisesero,
Réalisant qu'ils devaient s'unir
Pour survivre.

Parmi eux, il y avait les malades, les blessés et ceux
[terrassés par le chagrin.
Il ne faisait aucun doute que le combat serait long et pénible
Mais ils n'avaient pas le choix.

Bisesero était le dernier endroit où espérer à Kibuye.
La préfecture du Rwanda qui comptait le plus de Tutsis.

CHORUS.‒

Sur la colline de Muyira
Couverte de forêts et de buissons
Vivaient avant le génocide
De nombreux hommes forts.

MUYIRA MUYIRA MUYIRA MUYIRA MUYIRA
MUYIRA MUYIRA MUYIRA MUYIRA MUYIRA

Pause.

139

2. LA RÉSISTANCE

CORYPHÉE.–

Le 9 avril déjà,
Des miliciens arrivèrent de Gishyita pour tuer
Les réfugiés de la colline de Rurebero
À Bisesero.

Les réfugiés n'avaient que des bâtons, des pierres et des
[machettes,
Pour lutter contre les armes à feu et les grenades
Des assassins.
Mais ils se défendirent.

Ils se rassemblèrent sur Muyira
Et définirent une stratégie de résistance.
Aminadabu Birara
(Un Abasesero qui avait pris part aux batailles de 1959)
Fut élu commandant,
Siméon Karamaga :
Son adjoint.

Vers la fin du génocide,
Birara fut tué.
Siméon Karamaga a parlé
De son courage inflexible et de l'esprit de lutte qu'il avait
[insufflé
À tous.
Il a également décrit les tactiques militaires qui permirent
[de tenir bon
Tout le mois d'avril.
En cas de bataille,
Les réfugiés dévalaient les flancs de la colline à toute vitesse
Et se mêlaient à l'ennemi.
Il était facile de reconnaître les miliciens
Car ils étaient vêtus de blanc et portaient des feuillages
[sur la tête.

TÉMOIN HOMME.–

Lorsque nous voyions arriver les miliciens,
Je me mettais devant les autres
Et leur demandais à tous

De se coucher.
Les miliciens arrivaient en tirant.
J'ordonnais alors aux Abaseseros de se lever et de courir
Pour se mêler aux miliciens.
Ainsi, ces derniers n'osaient plus jeter leurs grenades
Ou tirer avec leurs fusils,
De peur
De s'entretuer.

TÉMOIN FEMME.−

Notre commandant
Demandait également aux femmes et aux enfants
D'apporter des pierres et des bâtons.

TÉMOIN HOMME.−

Les hommes qui savaient se battre nous ont classés
Selon les capacités de chacun.
Ils ont groupé les jeunes gens et les hommes forts
Au premier rang,
Au milieu de la colline.
Les filles et les femmes qui ramassaient et entassaient les
[pierres
Au deuxième rang.
Les vieillards, avec tout le bétail,
Au sommet de la colline.

CORYPHÉE.−

Femmes et enfants,
Vieux et jeunes,
Tous souffrirent pareillement.

TÉMOIN ENFANT.−

Les femmes et les enfants fuyaient en courant,
Les miliciens couraient aussi
Pour nous tuer.
Quand ils s'approchaient d'une personne âgée ou d'un enfant
Qui n'avait pas la force de courir,
Les miliciens le tuaient immédiatement.
Pendant ce temps, d'autres, dans les villages, démolissaient
Nos maisons.

Des femmes, volaient les récoltes et ratissaient nos champs.
En sorte que, la nuit, descendant la colline,
Nous ne trouvions plus rien
À glaner.
Je mangeais des tiges d'arbres.
Quelquefois,
Pendant que je courais comme un animal,
Je tombais sur quelqu'un qui avait reçu des coups de
[machette
Et qui respirait encore.

TÉMOIN FEMME.–

Nous n'avions plus beaucoup de forces
Pour combattre.
C'était terrible de ramasser des pierres
Alors que nos mains saignaient sans arrêt.
Quand on les jetait,
Elles n'allaient pas plus loin que dix mètres.
Nous n'avions pas de force.
Nous n'avions pas de force.

CORYPHÉE.–

Les attaques duraient
De neuf heures du matin à la tombée de la nuit
Et se succédaient
Jour après jour.
En dépit de leurs lourdes pertes,
Les réfugiés étaient de plus en plus nombreux.
Tous ceux qui avaient échappé aux massacres dans la région
Rejoignaient leurs collines.

Contre la faim et les éléments,
Contre les miliciens,
Les réfugiés restèrent organisés,
Ils restèrent unis.
Ils comprenaient parfaitement que c'était leur seule force
Contre la mort.

TÉMOIN HOMME.–

Souvent nous repoussions l'ennemi
Assez loin.

J'aimais être devant les autres.
Mais, à un moment, je demandai aux Abaseseros de reculer,
Car nous craignions de nous disperser
Et de tomber dans la zone de l'ennemi.

TÉMOIN HOMME.−

Le soir,
Nous nous réunissions sur la colline de Muyira,
Nous faisions le bilan de la journée,
Nous partagions les diverses tâches.
Pour avoir la force de combattre le lendemain,
Nous abattions des vaches très vigoureuses.
Nous buvions le lait et nous mangions la viande.
Cela nous revigorait.

TÉMOIN FEMME.−

Un groupe était chargé de faire à manger,
Un autre groupe veillait
Pour éviter que l'ennemi nous surprenne,
D'autres ramassaient à nouveau des pierres,
D'autres enfin
Enterraient nos morts.

TÉMOIN HOMME.−

Même si la pluie tombait sur nous,
Même si nous ne dormions pas,
Nous avions le moral.
Nous réalisions que l'ennemi reculait
Bien qu'il eût des fusils.

CORYPHÉE.−

Le 12 avril,
Les réfugiés repoussèrent une attaque massive
Menée par un homme d'affaires de Kigali :
Obed Ruzindana,
Originaire de Gisovu.

Obed Ruzindana
Était arrivé avec trois bus entiers et trois véhicules Daihatsu
Remplis d'Interahamwe et d'anciens soldats des FAR[31]

31. FAR : Forces armées rwandaises. Armée du gouvernement Habyarimara et du gouvernement intérimaire, largement responsable de l'organisation et de l'exécution du génocide.

Les tueurs étaient à présent mieux organisés, bien armés,
Et – avec la perspective des récompenses matérielles
Promises par Ruzindana –
Animés d'une véritable frénésie génocidaire.
Mais, cette fois encore,
La détermination des réfugiés les empêcha de mener à bien
Leur «travail».

TÉMOIN HOMME.–

Ruzindana a garé son véhicule,
Les militaires en sont descendus
Avec leurs fusils.
Ils ont tiré sur nous.
Nous avons rampé, cela n'a pas empêché certains d'entre
[nous
De se faire tuer.
Comme ils approchaient
Nous nous sommes mêlés à eux,
Comme auparavant.
Nous nous sommes avancés
Vers Obed Ruzindana.
Obed tirait sur nous,
Mais nous avons continué à avancer.
Il a couru,
Nous avons couru derrière lui.
Il a laissé tomber sa Kalachnikov
Par terre
Et il a pris son pistolet.
Il tirait toujours, en courant, jusqu'à son véhicule.
Il est parti avec les autres, d'où ils étaient venus.

À coup de pierres et de bâtons,
Nous avions tué beaucoup de miliciens
Et des soldats.
Nous avons ramassé leurs armes.

Pause.

CORYPHÉE.–

Le 20 avril,
Les miliciens persuadèrent

Les Hutus et les Twas de Bisesero
De changer de camp.

Ils quittèrent les collines de la résistance
La nuit, en cachette,
Et fournirent aux miliciens des informations sur l'organisation
Des réfugiés,
Maintenant seuls
À Bisesero.
Les génocidaires modifièrent leur propre stratégie.

TÉMOIN HOMME.–

Ils ont mis une grande mitrailleuse
Au sommet d'une colline
Et ils ont tiré sur nous,
À distance.

Nous nous sommes repliés sur la colline de Muyira,
Ils nous ont encerclés.
Les uns sur la colline de Ruzabo,
Un autre groupe sur la colline de Mutiti,
D'autres à Kazirandimwe, et le dernier groupe montait
En venant de Mubuga.
Toutes ces collines entouraient la nôtre,
Muyira.

Alors nous nous sommes divisés en quatre groupes
Comme les assassins,
Et un groupe de filles et de femmes
Pour rassembler les pierres.

Mais cela ne suffisait plus.
À partir de cette période,
Beaucoup furent massacrés
Tous les jours.

CORYPHÉE.–

À la fin du mois d'avril,
Les réfugiés étaient très affaiblis.

Humide, brumeuse et froide,
Était la saison des pluies.
Ils avaient faim, soif,
Ils étaient épuisés et souvent malades,

145

La gangrène achevait les blessés.
Les morts s'empilaient aux flancs des collines
Et personne n'avait le temps ni la force de les enterrer
De manière décente.

La nuit,
Au péril de leur vie,
Dans les champs ratissés par les femmes et les enfants
[des tueurs,
Ils ramassaient quelques épis de sorgho
Ou quelques pommes de terre.

Le jour,
Les combats se suivaient et se ressemblaient.
Seul le nombre des cadavres ne cessait d'augmenter.

CHORUS.−

Sur la colline de Muyira
Couverte de forêts et de buissons
Vivaient avant le génocide
De nombreux hommes forts.

MUYIRA MUYIRA MUYIRA MUYIRA MUYIRA
MUYIRA MUYIRA MUYIRA MUYIRA MUYIRA

CORYPHÉE.−

Au début du mois de mai,
Les attaques cessèrent
Soudainement.
Durant plus d'une semaine la paix régna
À Bisesero.

Les réfugiés ne savaient pas
Qu'il s'agissait seulement d'une phase de préparation.
Les génocidaires rassemblaient des renforts considérables,
Bien au-delà de la région.

Le massacre le plus brutal
N'avait pas encore eu lieu.

CHORUS.−

Sur la colline de Muyira
Couverte de forêts et de buissons
Vivaient avant le génocide

De nombreux hommes forts.

MUYIRA MUYIRA MUYIRA MUYIRA MUYIRA
MUYIRA MUYIRA MUYIRA MUYIRA MUYIRA

Entre buissons et forêts
Sur la colline de Muyira
Reste une poignée d'hommes
Une poignée d'hommes
Qui maintenant meurent de chagrin.

MUYIRA MUYIRA MUYIRA MUYIRA MUYIRA
MUYIRA MUYIRA MUYIRA MUYIRA MUYIRA

Pause.

3. L'IMPLACABLE MASSACRE

CORYPHÉE.–

Le vendredi 13 mai
Marqua le début de la fin pour les réfugiés
De Bisesero.
Le massacre du 13 mai
Révéla les ressources massives dont disposaient les
[génocidaires
Et leur résolution implacable d'éliminer jusqu'au dernier
[Tutsi
De Bisesero.

Des soldats et des miliciens vinrent de Bugarama.
À leur tête, le génocidaire le plus connu de Cyangugu :
Yusufu Munyakazi.
D'autres arrivèrent de Gisenyi, de Ruhengeri et Gikongoro.
Le préfet de Kibuye,
Clément Kayishema,
Et le docteur Gérard Ntakirutimana,
Médecin à l'hôpital de Mugonero,
Se joignirent aux tueurs principaux
Comme Obed Ruzindana.

Ils commandaient maintenant un rassemblement
[impressionnant
De miliciens,
De militaires,
Et de membres de la garde présidentielle.
Des bandes arrivaient en bus, en camions, en voitures,
D'autres arrivaient à pied, en chantant, en sifflant,
En tapant sur des tambours.

Le massacre commença
Vers huit heures du matin
Et il se poursuivit
Jusqu'à seize heures.

TÉMOIN HOMME.–

J'ai commencé à courir.
Les enfants ont dit en pleurant :
Papa, papa, tu nous abandonnes ?

Je suis revenu.
J'ai pris les deux plus petits sur mon dos et sur mes épaules.
Les autres sont restés là,
Où ils étaient.
Les miliciens les ont tués.

Ce qui me hante :
Ces enfants sont peut-être morts en pensant
Que je les ai abandonnés.

Je n'avais aucun moyen de les prendre ou de les cacher.
Maintenant,
Mes six enfants sont morts.

TÉMOIN HOMME.–
J'ai vu ma femme
Par terre.
Elle avait reçu des coups de machette,
On l'avait déshabillée.
Elle m'a regardé, pour me dire adieu.
J'ai pleuré.
Puis je suis allé chercher des feuilles d'arbre
Pour la couvrir.
Car elle était nue.

Je suis allé chercher de l'eau, pour lui donner à boire.
L'eau était très sale.
Quand les miliciens lui ont donné des coups de machette
Pour la troisième fois,
Elle est morte.

TÉMOIN ENFANT.–
Le soir,
Quand les miliciens sont partis,
Quelqu'un m'a dit que ma mère
Et tous les membres de ma famille
Étaient morts.

J'ai cherché partout sur les collines
Les cadavres.
J'ai fouillé partout.

Je voyais des gens, découpés à la machette, qui se
[demandaient

L'un à l'autre :
Et toi, tu n'es pas encore mort ?

Je suis tombé sur le cadavre de ma mère
Qui portait ma petite sœur
Sur le dos.
Elles étaient mortes.
À côté de ma mère était mon grand frère,
Il respirait encore.

J'ai réalisé que ma mère allait être dévorée par les chiens,
Alors qu'elle m'avait allaité.
Elle n'avait plus d'habits.
Elle n'avait plus d'habits.
Le désespoir m'a envahi.

Pause.

CORYPHÉE.–

Certains des survivants se réunirent
À Gaheno.
Ensemble,
Ils pleurèrent les morts de leur communauté.
Les cadavres de leurs amis et de leurs familles jonchaient
[le sol,
Nus
Et mutilés.

Ont été tuées,
Le 13 mai 1994,
Sur les collines
De Bisesero :
Vingt à vint-cinq mille personnes.

Mais les tueurs déjà,
Préparaient leur retour.

TÉMOIN HOMME.–

Dès l'aube,
Ils lancèrent une attaque.
Les miliciens nous poursuivaient en criant :
Voilà ces gens qui nous empêchent de recevoir notre
[*récompense*
D'Obed Ruzindana !

J'ai reçu une balle au genou,
Mais j'étais encore capable
De marcher.

Je me suis caché dans les buissons.
Les miliciens ont mis le feu aux broussailles
Pour me tuer.
Dans la fumée je suis parti
Me cacher ailleurs.

Deux mois sans me laver je suis resté
À Bisesero,
Entouré de cadavres.
Je ne trouvais ni à manger ni à boire.
J'étais très maigre, mes cheveux étaient sales.
Ma peau avait des écailles.

CORYPHÉE.–

Bien que ce massacre fût tout aussi cruel
Que celui de la veille,
Les survivants se souviennent surtout du 14 mai
Comme du jour où ils retrouvèrent les corps
De leurs êtres chers.

TÉMOIN HOMME.–

Je suis tombé sur une robe de ma fille.
J'ai cherché, fouillé parmi les cadavres
Qui se trouvaient tout près.
J'ai vu un corps
Qui n'avait plus de pieds
Et dont la tête avait été coupée.
J'ai bien observé.

J'ai vu que c'était ma femme,
Couchée avec l'enfant,
Morte elle aussi.

J'ai été chercher l'oncle de ma femme
Pour qu'il m'aide à les enterrer.
Lui et moi avons jeté un peu de terre sur les cadavres.
Nous n'avions pas la force de creuser
Une tombe.

CHORUS.−

Entre buissons et forêts
Sur la colline de Muyira
Reste une poignée d'hommes
Une poignée d'hommes
Qui maintenant meurent de chagrin

MUYIRA MUYIRA MUYIRA MUYIRA MUYIRA
MUYIRA MUYIRA MUYIRA MUYIRA MUYIRA

Sur la colline de Muyira
Couverte de forêts et de buissons
Vivaient avant le génocide
De nombreux hommes forts.

MUYIRA MUYIRA MUYIRA MUYIRA MUYIRA
MUYIRA MUYIRA MUYIRA MUYIRA MUYIRA

Silence.

4. L'AGONIE

CORYPHÉE.–

Le reste du mois de mai
Les réfugiés subirent des attaques répétées.
Nombre de tueurs importants étaient sur place.
Ils vérifiaient si les miliciens menaient à bien le «travail»
Qui leur était assigné.

Sous les pluies torrentielles,
Avec la faim, le froid, le désespoir,
L'issue semblait inévitable.
Cependant, les chefs de la résistance les encourageaient
[toujours
À se défendre.
Et tous ne mouraient pas.

TÉMOIN HOMME.–

Vers le 20 mai,
Les miliciens sont venus à bord de véhicules Toyota.
Épuisés, nous n'avons pas couru.
Ils ont tué à la machette ceux qu'ils capturaient.
Alors,
Nous avons décidé de courir droit vers les chefs des
[miliciens,
Là où ils aimaient s'installer,
À Ku Nama.
Plutôt mourir d'une balle, disions-nous.

Les miliciens ont tiré beaucoup,
Car ils voyaient que nous voulions attaquer leurs chefs.

Quatre-vingts personnes sont tombées immédiatement.
Je courais, machette à la main, et je voyais
Les grands tueurs :
Yusufu,
En position de tir,
À côté de lui :
Obed Ruzindana et Mika.

À ce moment, notre commandant,
Birara,

Nous a demandé de reculer.
Beaucoup déjà étaient morts.
Je suis allé me coucher dans un buisson.
Ce jour-là, j'ai eu de la chance.

TÉMOIN HOMME.–

Mes habits étaient déchirés.
Mes pieds gonflés.
Je n'avais rien à manger.
Le soir,
Quand les miliciens rentraient à la maison,
Je parcourais les collines en cherchant les ruisseaux.
Tous les ruisseaux de Bisesero étaient remplis de cadavres.
L'eau était rouge,
Mais je n'avais plus la nausée.
J'avais l'habitude maintenant de voir des cadavres.
J'ai bu de cette eau
Même quand j'y ai vu des morceaux de cadavres
De membres de ma famille.

Nous étions peu nombreux à survivre.
Ceux qui avaient un peu de force
Combattaient encore.
Pendant que nous combattions,
Je pensais
Que les soldats du FPR viendraient
Nous libérer.

TÉMOIN FEMME.–

L'eau des ruisseaux était devenue du sang.
Je ne pouvais pas boire.
Les cadavres sur les collines étaient gonflés,
La pluie tombait sur nous.
Nous couchions dans les buissons parmi les corps
En décomposition.
J'ai vu les chiens dévorer les cadavres.
J'ai vu les corbeaux qui leur mangeaient les yeux.

TÉMOIN FEMME.–

Personne
N'avait pitié de nous.

Les femmes des tueurs volaient les habits sur les cadavres.
Chaque jour
Les miliciens venaient pour nous tuer.
Ils nous suppliaient de ne pas courir
Pour nous abattre facilement,
Et obtenir les récompenses
D'Obed Ruzindana.

TÉMOIN FEMME.–

Dans notre situation,
Nous aurions pu nous regrouper et demander aux miliciens
De nous massacrer
Tout de suite.
Mais nous avons décidé de continuer à courir
Et à combattre
Jusqu'à la fin.

Pause.

CORYPHÉE.–

Vers le début du mois de juin,
Les vieillards, les femmes et les enfants,
Étaient presque tous morts.
Des milliers d'hommes également.
La situation des jeunes gens et des hommes survivants
Était si désespérée
Qu'ils se battirent
Sans plus se soucier des pertes.

TÉMOIN HOMME.–

Nous avions quinze fusils
Appartenant aux assassins que nous avions tués.
Pour chaque fusil gagné,
Beaucoup d'entre nous mouraient.

Pendant ce mois de juin,
Les assassins venaient nombreux et de loin,
Par bus, ou dans les véhicules des autorités,
Pour voir ces Tutsis de Bisesero
Qui résistaient encore.

Comme nous n'avions plus rien à perdre
Nous combattions en connaissance de cause.

CORYPHÉE.–

La férocité des tueurs n'était pas lassée.
Obed Ruzindana
Et son père, Elie Murakaza,
Encourageaient et dirigeaient les miliciens.
Parmi les assassins notables figuraient également
Le docteur Gérard Ntakirutima et Alfred Musema ;
Ainsi que le ministre de l'Information du gouvernement
[intérimaire :
Eliezer Niyitegeka,
Originaire de Gisovu.

TÉMOIN FEMME.–

Le 3 juin,
J'étais cachée dans un buisson.
Obed Ruzindana
A amené les miliciens et les soldats
Pour nous massacrer.
À quinze heures,
Ils ont arrêté la chasse aux Tutsis.
Obed
Les a rassemblés dans la cellule de Nyarutovu.
Les soldats comme les miliciens.
Il leur a donné de l'argent.

TÉMOIN HOMME.–

Comme je n'avais plus la force de combattre,
Je me cachais
Dans les buissons.
Un jour,
Je me trouvais à un endroit nommé
Mu Yaboro.
Là,
Il y avait une grande pierre
Que les miliciens utilisaient pour aiguiser
Leurs machettes.

Cette pierre est toujours là.

Tandis que j'étais dans ces buissons
Les tueurs sont venus

Pour affûter leurs armes.
Avec eux :
Obed Ruzindana.

Il les encourageait.
Il disait qu'ils devaient « travailler »
Jour et nuit.
Il disait qu'il fallait exterminer tous les Tutsis
Avant l'arrivée des Français.

Il ordonna aussi de brûler tous les buissons.
Comme je ne trouvais plus de cachettes,
Je me suis couché sous les cadavres.
Il y avait une odeur horrible.
Je ne respirais pas.
Les insectes venus dévorer les corps
Me piquaient cruellement.
Je ne bougeais pas.

TÉMOIN FEMME.–

Dans un buisson
Près de la route,
J'étais cachée.

J'ai entendu quelqu'un qui disait :
Monsieur le Préfet,
Est-ce que vous pensez qu'il y a un Tutsi qui va en réchapper
Aujourd'hui ?
Le préfet a répondu en riant :
Ici, c'est un très bon jeu.
C'est très bien de venir y assister tous les jours.
Il a encore ajouté :
Le bourgmestre de la commune
De Gishyita
A mieux « travaillé » que celui de la commune
De Gisovu.
Le bourgmestre de la commune
De Gishyita
A mieux « travaillé » que celui de la commune
De Gisovu.

TÉMOIN HOMME.–

Un milicien a macheté ma femme,
Puis il a introduit un bambou bien taillé dans son vagin.
Il l'a enfoncé profondément.
De façon qu'il arrive dans son ventre.

L'enfant qu'elle portait sur le dos
Était tombé par terre,
Il criait : *Papa Maman.*
Les miliciens ont vu l'enfant.
Ils l'ont tué en disant :
Il ne faut pas laisser vivre un enfant de cafard.

CHORUS.–

Entre buissons et forêts
Sur la colline de Muyira
Reste une poignée d'hommes
Une poignée d'hommes
Qui maintenant meurent de chagrin.

MUYIRA MUYIRA MUYIRA MUYIRA MUYIRA
MUYIRA MUYIRA MUYIRA MUYIRA MUYIRA

Sur la colline de Muyira
Couverte de forêts et de buissons
Vivaient avant le génocide
De nombreux hommes forts.

MUYIRA MUYIRA MUYIRA MUYIRA MUYIRA
MUYIRA MUYIRA MUYIRA MUYIRA MUYIRA

Silence.

5. LES SOLDATS FRANÇAIS

CORYPHÉE.-

À la fin du mois de juin,
Sur ces collines
Se trouvaient encore
Deux mille personnes vivantes.

Le 26 juin,
Dans le cadre de l'opération Turquoise,
Des soldats français – en reconnaissance –
Passèrent
À Bisesero.

Quelques survivants se risquèrent à sortir de leurs cachettes
Pour demander
Aide
Et protection.

TÉMOIN HOMME.-

Je suis sorti des buissons.
Les deux premières voitures ont refusé de s'arrêter
Alors que j'appelais au secours,
En français.
Je suis allé au milieu de la route pour arrêter les deux
[voitures
Qui suivaient.

Les soldats ont refusé de m'écouter,
Car ils écoutaient un enseignant qui les accompagnait,
Un milicien,
Twagirayezu.

Twagirayezu leur disait
Que nous étions en sécurité,
Que nous n'étions pas menacés,
Mais que nous semions des troubles dans la région.

Comme les Français ne m'écoutaient pas,
J'ai appelé les Tutsis à sortir des buissons.
J'ai montré aux soldats les blessés par balles
Et les blessures ouvertes à la machette.
J'ai montré des cadavres.

TÉMOIN HOMME.–

Les soldats français nous ont observés.

Ils ont pris des photos.

Ils nous ont dit de rester cachés

Et qu'ils reviendraient.

Ils sont partis sans nous laisser

la moindre protection.

TÉMOIN HOMME.–

Tout de suite après leur départ,

Le docteur Gérard est venu avec ses miliciens.

Ils ont exterminé toutes les personnes qui étaient cachées là

Avant l'arrivée des Français.

CORYPHÉE.–

Des deux mille survivants de Bisesero,

Les Français ne trouvèrent plus que neuf cents environ

Quand ils revinrent le 30 juin,

Trois jours plus tard.

Trois jours plus tard.

Il est difficile de comprendre

CHŒUR ET CORYPHÉE.– *(ensemble)*

POURQUOI

CORYPHÉE.–

Devant l'horreur de la situation

CHŒUR ET CORYPHÉE.– *(ensemble)*

AUCUN SOLDAT

CORYPHÉE.–

Ne fut laissé pour protéger les survivants.

Il est difficile d'imaginer

CHŒUR ET CORYPHÉE.– *(ensemble)*

POURQUOI

CORYPHÉE.–

Il leur fallut revenir

CHŒUR ET CORYPHÉE.– *(ensemble)*
TROIS JOURS PLUS TARD.
TROIS JOURS PLUS TARD.

CORYPHÉE.–
De retour,
Les soldats
Donnèrent aux survivants de la nourriture et des vêtements.
Ils évacuèrent blessés et malades
Vers Goma.

Cependant,
Aucune mesure ne fut prise à l'encontre des criminels.

TÉMOIN HOMME.–
Les assassins conversaient souvent avec les Français.

TÉMOIN FEMME.–
Musema
Revint deux fois à Bisesero
Après l'arrivée des soldats français.
Tout le monde se mit à crier :
C'est un tueur!
Il ne peut pas entrer dans le camp!
Et lui disait aux soldats français :
Pourquoi protéger ces Tutsis ?
Ce n'est pas nécessaire, le pays est sûr.

TÉMOIN HOMME.–
Musema est arrivé.
Nous avons dit aux Français :
C'est un tueur.
Ils ont demandé à quelques survivants de témoigner.
Puis, ils le laissèrent partir.

CORYPHÉE.–
Les relations entre survivants et soldats français
Se détérioraient.

TÉMOIN HOMME.–
Ils nous ont proposé de rester
Avec eux,
Ou de rejoindre la zone

Du FPR.
Tous les gens ont choisi de partir
Dans la zone du FPR.
Alors,
Les soldats français se sont fâchés.
Ils ont arrêté de nous donner
À manger.
Ils ont arrêté de nous donner
À manger.

CHORUS.–

MUYIRA MUYIRA MUYIRA MUYIRA MUYIRA
MUYIRA MUYIRA MUYIRA MUYIRA MUYIRA

Entre buissons et forêts
Sur la colline de Muyira
Reste une poignée d'hommes
Une poignée d'hommes
Qui maintenant meurent de chagrin.

MUYIRA MUYIRA MUYIRA MUYIRA MUYIRA
MUYIRA MUYIRA MUYIRA MUYIRA MUYIRA

Silence.

ÉPILOGUE[32]

CORYPHÉE.–

Les organisateurs du génocide
À Bisesero
Ont fui le Rwanda
En juillet 1994.

Ont été arrêtés
Et condamnés par le Tribunal international des
[Nations Unies d'Arusha, Tanzanie :
Clément Kayishema, préfet de Kibuye,
Obed Ruzindana, homme d'affaire,
Alfred Musema, directeur de la fabrique de thé de Gisovu,

Ont été arrêtés
Et transférés au Tribunal international des Nations Unies
D'Arusha, Tanzanie, où ils attendent d'être jugés :
Gérard Ntakirutimana, médecin.
Eliezer Niyitegeka, ministre de l'Information,
Mika Muhimana, conseiller du secteur de Gishyita,
Elizaphane Ntakuritimana, pasteur et président des
[adventistes de Kibuye,
Qui poussa la rage meurtrière
Au point de faire écrouler son temple
Sur les Tutsis qui s'y étaient réfugiés,

Sont encore en liberté :

Charles Sikubwabo, bourgmestre de Gishyita,
Aloys Ndimbati, bourgmestre de Gisovu,
Vincent Rutaganira, conseiller du secteur de Mubuga,
John Yusufu Munyakazi, un des tueurs les plus importants,
Et bien d'autres responsables du génocide
À Bisesero.

Pause.

Les survivants aujourd'hui
Ne possèdent rien,
Si ce n'est la compagnie et le soutien

---

32. *L'Épilogue* est mis à jour pour chaque représentation. La version publiée est celle de décembre 2001.

Des autres rescapés.
Sur la colline de Muyira
Se dresse le mémorial de la résistance.
Là,
Où vécurent des hommes,
Il n'y a plus que des pierres,
Des crânes,
Des os.

Pause.

Ici, le Chœur commence à lire le recensement préliminaire des victimes du génocide à Bisesero :

1. Commune Gishyita

    1.1. Secteur Bisesero

        1.1.1. Cellule Nyarutovu

1. Innocent Muganga 44 ans sexe masculin éleveur marié.
2. Marianne Mukamumana 41 ans sexe féminin cultivatrice mariée.
3. Béatrice Uzayisenga 18 ans sexe féminin étudiante célibataire.
4. Eugénie Mukangoga 16 ans sexe féminin étudiante célibataire.
5. Corneille Uwimana 14 ans sexe masculin étudiant.
6. Vincent Muganga 12 ans sexe masculin étudiant.
7. Chantal Uwanyirigira 9 ans sexe féminin étudiante.
8. Appolinaire Semutwa 82 ans sexe masculin éleveur marié.
9. Adèle Nyiramahe 70 ans sexe féminin cultivatrice mariée.
10. Basile Mudenge 28 ans sexe masculin cultivateur célibataire.
11. Gaspard Nkusi 33 ans sexe masculin éleveur marié.
12. Catherine Mukasine 12 ans sexe féminin étudiante.
13. Virginie Mukangoga 9 ans sexe féminin étudiante.
14. Eric Nshimiye 6 ans sexe masculin étudiant.

15. Eugène Binwangari 4 ans sexe masculin étudiant.

16. Son of Nkusi 1 mois sexe masculin.

17. Charles Rwamanywa 64 ans sexe masculin éleveur marié.

18. Madeleine Mukaruziga 56 ans sexe féminin cultivatrice mariée.

19. Casimir Musabyimana 24 ans sexe masculin cultivateur célibataire.

20. Célestin Ndwaniye 58 ans sexe masculin éleveur marié.

21. Léocadie Nyirabititaweho 54 ans sexe féminin cultivatrice mariée.

22. Clavaire Ndahimana 26 ans sexe masculin éleveur célibataire.

23. Xavéra Nyirabahutu 78 ans sexe féminin cultivatrice veuve.

24. Ruhumuliza 33 ans sexe masculin cultivateur célibataire.

25. Mukabutera 41 ans sexe féminin cultivatrice divorcée.

26. Karamuka 58 ans sexe masculin éleveur marié.

27. Nicodème Kabwana 62 ans sexe masculin cultivateur marié.

28. Marie Nyirabuka 56 ans sexe féminin cultivatrice mariée.

29. Eliezer Kambanda 58 ans sexe masculin cultivateur marié.

30. Erina Mukankundiye 50 ans sexe féminin cultivatrice veuve.

Ad libitum.

L'énumération continue pendant que la voix et la lumière baissent insensiblement, jusqu'au silence et au noir absolu[33].

Fin.

33. Ce texte a été composé à partir de l'enquête réalisée par l'association African Rights au Rwanda et publiée en brochure à l'occasion de la quatrième commémoration nationale du génocide, à Bisesero. Le Groupov y avait envoyé une délégation. Sans le travail extraordinaire de courage et de minutie d'African Rights, cette cantate n'aurait pas été possible. Nous remercions avec gratitude sa directrice : madame Rakhya Omar, et ses enquêteurs rwandais.

DE LA CONCEPTION À LA RÉALISATION

Le processus

Rwanda 94 est le fruit de quatre années de travail entre artistes rwandais et européens de différentes disciplines, sous la direction d'un «maître d'œuvre».

La durée de cette gestation tient à deux facteurs :

- L'extrême complexité du sujet. La tentative d'une réparation symbolique, qui doit évoquer un événement historique dont la violence passe les limites du représentable, en même temps qu'exposer le processus par lequel il est advenu, sur près d'un siècle, n'est pas une mince affaire. D'autant plus quand les faits sont encore très proches.

- La tension entre forme unique et déclinaison plurielle. Ces quatre ans ont à peine suffi pour réaliser un équilibre délicat mais structurel entre toutes les expressions rassemblées dans la production finale. Entre dynamique et obsession, entre unité et diversité, entre réel, imaginaire et symbolique.

Tout cela accru de la difficulté d'associer au travail de nombreux artistes de discipline, d'origine, de sensibilité et de culture très différentes.

Dès la fin de la première année, le collectif a présenté des parties complètes (musicales et/ou écrites), des scènes, des images, à des groupes de spectateurs choisis, puis à des audiences de plus en plus larges. En janvier 1999, au Théâtre de la Place à Liège, et ensuite au Festival d'Avignon, ce furent des représentations de cinq heures d'un matériau essentiel mais encore brut, incomplet, et où – précisément – la **structure** se dérobait encore.

Ce contact périodique avec des publics diversifiés tout au long du *work in progress* a joué un rôle important dans l'écriture et l'élaboration de la forme ultime[1].

---

1. Sur la gestation détaillée de *Rwanda 94, cf. Alternatives Théâtrales* n° 67-68, numéro spécial avec analyses de Georges Banu, Philippe Ivernel, etc., et un important porte-folio photo.

Problèmes de transcription

Quand, d'une manière aussi organique, se sont interpénétrés des éléments de mise en scène, des compositions musicales, des images, des textes; quand – de surcroît – l'ensemble joue souvent au bord, ou sur la limite, de ce qu'il est convenu de désigner comme «représentation», la transcription en une seule partition écrite pose quelques difficultés.

Nous en avons dégagé les voies toujours sur base de la même fiction : *Et si quelqu'un quelque jour futur voulait redonner vie à cette matière....*

C'est ce qui explique la solution adoptée dès la première page, avec le témoignage de Yolande Mukagasana. Dans le spectacle, ce moment pose les fondations de l'édifice. Symboliquement, parce que voici longuement la voix, le corps, la parole d'une morte vivante; une personne infiniment singulière pour un million de victimes sans nom et sans visage. Dramatiquement, parce que Yolande instaure entre le spectacle et le public le rapport initial, basique, sur lequel tout le reste se déduit, se requiert, s'impose. Formellement, parce que dans l'extrême solitude de cette situation, elle préfigure la réparation symbolique portée au niveau collectif de la partie finale, épique, avec *La Cantate de Bisesero*. Parce qu'aussi, sa présence et son récit, sont à la fois réalité et signe – emblème – de l'ensemble de l'œuvre : désignation de l'innommable. Un nécessaire dérangement s'ensuit de l'ordre et des conventions de la représentation.

Donc, à proprement dire, il s'agit d'un non-texte. Le délicat processus de travail avec Yolande Mukagasana a engendré un témoignage oral à la fois très fixé et chaque soir modifié. Nous sommes hors-champ de l'écriture. Que faire? Renoncer à inclure cette parole? La réécrire pour tenter de l'inscrire plus ou moins dans le champ littéraire? Proposer un montage d'extraits de ses propres livres? Aucune de ces «solutions» n'est opérante, certaines sembleraient même franchement indignes, en particulier l'idée d'exclure radicalement toute trace de cette parole dans la «pièce» écrite, et d'y substituer un résumé. Nous avons donc résolu d'offrir un écho de ce qui ne pourra jamais se traduire fidèlement, en donnant à ce moment la forme textuelle qui lui correspond dans certains ouvrages consacrés aux génocides, en particulier celui des Tutsis du Rwanda[2]. Celle de la transcription de témoignage, littérale, qui tente de rester au plus près de la parole (au demeurant celle d'une femme dont le français n'est pas la langue maternelle)[3].

De ces différentes réserves et mentions des difficultés spécifiques à cette entreprise, il ne faudrait pas déduire que l'édition de *Rwanda 94* s'avèrerait vaine ou impossible. La plus grande part de sa composition textuelle s'inscrit bien, à ses risques et périls, dans le champ de l'écriture dramatique et littéraire.

Collectif et individualités

On ne trouvera pas ici le détail des contributions de chacun, non par rigorisme éthique, mais parce qu'il est devenu de plus en plus difficile de cerner ces attributions au fur et à mesure de l'élaboration. Certaines sont encore repérables, par exemple : Jean-Marie Piemme est intégralement l'auteur de la scène *Père et fils*. Mais la plupart ont une origine beaucoup plus complexe. Ainsi, j'ai créé le personnage de madame Bee Bee Bee, journaliste vedette de la télévision. Après janvier 1999, nous avons réduit de moitié la scène que j'avais écrite ; après Avignon, la scène fut encore recoupée et retouchée ; mais entre-temps Jean-Marie Piemme s'était emparé du personnage et lui avait donné une consistance et un style nouveaux dans des scènes qui furent elle-mêmes remaniées ensuite... Parfois ces échanges furent encore plus subtils. Dans l'emprunt d'une forme d'écriture et non plus de thèmes ou de personnages. *La Cantate de Bisesero*, qui clôt le spectacle mais fut en réalité la première partie complètement achevée, a influencé la rédaction d'autres moments. De même, le tour d'expression sentencieux, quasi-biblique par endroits, de la scène *Nécessité du savoir*. L'apport des auteurs rwandais semble directement lié à certaines parties : messages des fantômes électroniques pour Kalisa Rugano, *La Litanie des questions* et la partie *Et*

---

2. Par exemple, dans l'extraordinaire compilation *Death, Despair and Defiance* publié par African Rights, 1994, 11 Marshalsea Road, London SE 1 1EP.

3. Ceci vaut également, dans une certaine mesure, pour les interventions du Chœur des Morts, dans la première partie, où nos amis rwandais racontent avec leurs propres mots, à la première personne, l'assassinat de membres de leur famille

les gens de chez nous ? pour Dorcy Rugamba. Mais là encore rien n'est simple. Leur contribution s'est inscrite dans une structure et des propositions qui lui préexistaient, celles d'autres auteurs. Par ailleurs, jusqu'où l'influence des Rwandais s'est-elle exercée au-delà de ces passages? Par l'information sur leur culture, par leur style, par leur attitude? Qui peut dire l'influence de la musique sur le texte? Et donc, l'apport indirect de Garrett List et Muyango à l'écriture? Et presque personne n'aurait pu écrire une ligne sans l'énorme documentation historique et dramaturgique ventilée par Marie-France Collard... Il est donc vain de vouloir étiqueter les contributions dans l'écriture finale, en étudier la genèse et la combinatoire serait peut-être plus fructueux en remontant la trace des essais successifs.

Histoire et fiction : quelques points de vue

GEORGES BANU : Comment témoigner du cauchemar? Comment en restituer l'ampleur et dire le désastre? Comment échapper à l'exaspération de la révolte directement clamée? Comment convoquer sans agresser?
Comment dénoncer des culpabilités sans échouer dans le manichéisme? C'est la question : comment dire le mal que l'homme peut faire à l'homme? Jacques Delcuvellerie et Groupov le savaient : la seule chance, l'invention d'une forme. Elle seule rend le cri audible.
Rwanda 94 procède à la reconquête de la forme tragique. Et ceci loin de toute archéologie, des citations explicites et des rappels lisibles[4].

PHILIPPE IVERNEL : Les véritables parrains de l'esthétique du Groupov, qui est aussi une éthique, sont alors à rechercher du côté du théâtre documentaire de Peter Weiss, ou du théâtre épique et didactique de Brecht, ou du théâtre justement nommé politique de Piscator; soit trois modèles qui, en des temps sombres, se veulent foncièrement hostiles à l'idéologie tragique[5].

4. Georges Banu, *Rwanda 94, un événement*, in *Alternatives Théâtrales* n° 67-68, p. 21.
5. Philippe Ivernel, *Pour une esthétique de la résistance*, in *Alternatives Théâtrales* n° 67-68, p. 13.

Ces deux perceptions semblent contradictoires. Mais, entre l'hostilité à *l'idéologie tragique* et la *reconquête de la forme* requise par la tragédie, l'écart n'est pas si grand et la contradiction productive. Et, pour tous, cette évidence est partagée : la seule chance de rendre le cri audible c'est l'invention d'une forme. Dans cette recherche, confronter fiction et documentaire s'est imposé d'emblée.

CLAIRE RUFFIN : Ce spectacle n'a-t-il pas pour fonction de nous questionner sur la façon dont nous percevons la réalité dans notre vie quotidienne ?

PATRICK LE MAUFF : Bien sûr, je crois que c'est l'objet même du spectacle et de sa narration. Prenons l'exemple de l'interview par un journaliste, Bruno Masure, de cet homme de la Fédération internationale des Droits de l'homme, présent au Rwanda. Celui-ci annonce d'une voix tremblante, un an avant le génocide, qu'il se profile une catastrophe mais qu'il est encore possible de l'éviter. Il arrive difficilement à contenir son émotion.
Je l'ai vu, ou j'ai dû le voir, puisque cela se passait au cours d'un journal télévisé que je regarde assez régulièrement. Lorsque je l'ai revu, je me suis dit que je ne l'avais jamais entendu, jamais vu. Si j'entends crier quelqu'un dans la rue : *Au secours, au feu, on me tue !*, cela risque quand même de provoquer une réaction dont je me souviendrai.
Qu'est-ce qui fait qu'à un moment déterminé, on entend sans que cela ne provoque la moindre réaction ? Quelles sont nos perceptions ? Le spectacle travaille sur cela.

CLAIRE RUFFIN : Pourquoi a-t-on besoin de la fiction pour questionner la réalité ?

PATRICK LE MAUFF : Quand vous prenez une baguette de bois rectiligne et que vous la plongez dans l'eau, elle va vous apparaître coudée, cassée. Vous la ressortez, et elle est à nouveau droite. Si vous voulez la faire apparaître telle qu'elle est dans la « réalité » lorsque vous l'immergez dans l'eau, vous êtes obligés de la couder vous-même, de la briser. C'est peut-être un peu cela la nécessité de la fiction[6].

6. Patrick Le Mauff, *La Représentation en questions, exemplaire*, in *Alternatives Théâtrales* n° 67-68, p. 17.

Le spectateur, ou le lecteur, doit se méfier d'une hâtive séparation des genres. Quand Yolande Mukagasana nous raconte six semaines en quarante minutes, tout est vrai et pourtant rien n'a eu lieu de cette façon. Un récit, un raccourci, un montage, c'est déjà une vision et non l'événement, comme chacun sait. Inversement, là où l'on pourrait croire que les auteurs inventent insolemment ou caricaturent, nous sommes souvent dans la simple citation[7].

L'essentiel est évidemment ailleurs, à savoir : ce qui s'élabore là, *à l'usage des vivants*, qui ne saurait être vision univoque mais déploiement de l'objet, étonnement perpétuel, scandale chronique, et donc – aussi – interrogation du théâtre sur sa capacité et ses moyens de représenter, sur son propre protocole de représentation.

C'est de cette tentative expérimentale, ce travail, cet effort – oui –, que peut seulement s'entretenir l'espoir léger que *Rwanda 94* contribue à rendre aux morts la seule justice que, dans le souci des vivants, on puisse exiger. Que par l'exposition et l'analyse de leur martyre, saisi dans sa plus grande singularité, celle-ci excède précisément le «cas particulier» pour mettre à la question l'état d'un monde qui n'a cessé de broyer, tuer, exterminer des millions de nos semblables au profit de quelques-uns, avec l'assentiment de beaucoup et dans l'indifférence du plus grand nombre.

Jacques Delcuvellerie

---

7. Par exemple, pour ceux qui trouveraient «caricaturales» les assertions de Monsieur Quai d'Orsay dans les «Hyènes», nous tenons à leur disposition les déclarations nombreuses de ministres et de diplomates français sur le sujet. De même le *bullshit!* dans la scène *Père et fils* est absolument authentique.

Générique

Auteurs : Marie-France Collard, Jacques Del-cuvellerie, Yolande Mukagasana, Jean-Marie Piemme, Mathias Simons.

Auteurs associés : Dorcy Rugamba, Thar-cisse Kalisa Rugano.

Composition musicale : Garrett List.

Auteur/Compositeur/Interprète : Jean-Marie Muyango.

Metteur en scène : Jacques Delcuvellerie.

Metteur en scène associé : Mathias Simons.

Réalisation images : Marie-France Collard.

Interprétation : Yolande Mukagasana, Luc Brumagne/Maurice Sévenant, Younoussa Diallo, Stéphane Fauville, Carole Karemera/Estelle Marion, Clotilde K. Kabale/Nadine Uwampaniza/Jeanne Kayitesi, Francine Landrain/Hélène Mathon, Joëlle Ledent/Nathalie Cornet, Massamba, Augustin Majyambere, Max Parfondry, Dorcy Rugamba, François Sikivie/Stéphane Vincent, Jean-Marie Rurangwa/Tharcisse Kalisa Rugano.

Chef d'orchestre : Garrett List.

Musiciens : Manuela Bucher/Laurence Gene-vois (alto), Geneviève Foccroule/Fabian Fiorini (piano),Vincent Jacquemin (clarinette), Hélène Lieben/Véronique Lierneux (violon), Marie-Eve Ronveaux/Jean-Pol Zanutel (violoncelle).

Chanteuses : Christine Schaller, Véronique Sonck.

Scénographie : Johan Daenen.

Costumes : Greta Goiris.

Masques/Marionnettes : Johan Daenen, Greta Goiris, Françoise Joset, Marta Ricart Buxo.

Lumières : Marc Defrise assisté de Frédéric Vannes.

Direction technique : Fred Op de Beeck.

Assistant général : Benoit Luporsi.

Conception sonore/Régie son : Jean-Pierre Urbano assisté de Fabian Bastianelli/Maxime Bodson .

Régie plateau : Christian Ternon/Gwendoline Robin/Yoris Van den Houte/Max Wester-linck/Anne Marcq.

Habilleuse : Carine Donnay.

Régie lumières : Marc Defrise/Frédéric Vannes.

Régie vidéo : Fred Op de Beeck.

Régie générale : Pierre Willems.

Délégué de production : Philippe Taszman.

Assistante de production : Françoise Fiocchi.

Assistante : Aurélie Molle.

Stagiaire : Ludivine Bendotti.

Images

Réalisation : Marie-France Collard.

Assistants réalisateurs : Eugène Cornélius, Benoit Luporsi, Egide Mazimpaka, Manuel Versaen.

Direction d'acteurs : Tharcisse Kalisa Rugano.

Caméra : Célestin Gatarayiha, Olivier Pulinckx.

Son : Thierry Tirtiaux, Jean-Jacques Quinet.

Infographie : Laurence Beckers.

Mixage : Jean-Jacques Quinet.

Montage : Jacques Martin.

Comédiens : Umutoni Kalisa Annick, Kayis-hema Landry, Ryumugabe André, Munyan-kindi Janvier, Nyiramariza Noura, Nzikenera Ramazani, Gasana N'Doba.

Moyens techniques : Orinfor (télévision rwandaise), Crossroads, Studio 5/5, Antennes paraboliques Olivier Charlier.

Production exécutive : Latitudes Production asbl. Avec la collaboration de la Fondation Jacquemotte.

Archives : *The dead are alive* – Anna Van der Wee (Wild Heart Production), *Maudits soient les yeux fermés* – Frédéric Laffont (Inter-scoop), *The Bloody tricolour* – BBC, Orinfor (Télévision rwandaise), WTN, Cornelius Vidéo Communications, INA, Fédération Royale Belge de Tennis de Table.

Stagiaires : Anthony Rey, Stéphane Noiret.

Remerciements à Jacques Bihozagara, Eddy Boutmans, Colette Braeckman, Christian de Boe, André Bumaya, Eulade Bwitare, Roger Caracache, le Centre de recherche et de formation musicale de Wallonie, Jean-Pierre Chrétien, Sophie Coppens, Dominique Daubie, Jean-Loup Denblyden, Alain Destehxe, Pierre Dodinval, Solange Dondi, Bernard Faivre d'Arcier, Antoine Evrard, Christine Favart, Koen Gabriels, Eulade Gasana, Laurence Gay, Joël Gunzburger, Luc De Heusch, Christian Jade, Pacifique Kabalisa, Kdoc, Fanny Karemera, Marie-José Laloy, Michel Lastchenko, Marie-Christine Léger, Patrick Le Mauff, Philippe Mahoux, Jean-Pierre Martin (RTL TVI), Richard Miller, Tite Mugrefya, Musée Royal d'Afrique Centrale de Tervuren, Patricia Van Scheulenberg, Frère Jean Damascène Ndayambaje, Gasana N'Doba, Théodore Nyilinkwaya, Laurette Onkelinx, Paul Pankert, Martine Raemakers, Tito Rutaremara, Privat Ruta-zibwa, Jean-Philippe Stassen, Didier Thibault, Marie-Henriette Timmermans, Anna Van der Wee, Stéphane Vincent, Benoît Vreux, les survivants du génocide à Runda (Gitarama), Jean-Marie Wynants...

Le spectacle *Rwanda 94* est une production du Groupov en coproduction avec le Théâtre de la Place, le Théâtre national de la Communauté Wallonie-Bruxelles, et Bruxelles/Brussel 2000, Ville européenne de la Culture en l'an 2000.

Avec l'aide du ministère de la Communauté française, Direction générale de la Culture, Commissariat général aux Relations internationales de la Communauté française de Belgique (CGRI), de Théâtre et Publics asbl, de la Rose des Vents Scène nationale de Villeneuve d'Ascq, de la Fondation Jacquemotte, de l'Agence de la Francophonie, et de la DGCI, Coopération belge au Développement, de la CITF, de l'ONDA, avec le soutien du département des Affaires internationales du ministère de la Culture et de la Communication (France), et du Conseil des Arts du Québec et du Canada.

BIBLIOGRAPHIE SUCCINCTE
Histoire récente du Rwanda

BRAECKMAN Colette, *Rwanda. Histoire d'un génocide*, Éditions Fayard, juin 1996.

CHRÉTIEN Jean-Pierre, *Le défi de l'ethnisme, Rwanda et Burundi 1990-1996*, Éditions Karthala, avril 1997.

CHRÉTIEN Jean-Pierre (sous la direction de), *Rwanda. Les médias du génocide*, Éditions Karthala, 1995.

DES FORGES Alison, *Aucun témoin ne doit survivre*, Human Rights Watch – Fédération internationale des Ligues des Droits de l'Homme, Éditions Karthala, 1999.

FRANCHE Dominique, *Rwanda généalogie d'un génocide*, Éditions Mille et Une Nuits, Les Petits Livres n° 12, fév. 1997.

GOUTEUX Jean-Pierre, *Un génocide secret d'État – La France et le Rwanda – 1990-1997*, Éditions Sociales, Paris, mars 1998.

PRUNIER Gérard, *Rwanda 1959-1996 – Histoire d'un génocide*, Éditions Dagorno, 1997.

Rwanda. Death, despair and defiance, a publication of AFRICAN RIGHTS, revised edition, 1995.

TABLE DES MATIÈRES

Achevé d'imprimer en mai 2002
sur les presses de Corlet Imprimeur
à Condé sur Noireau (14).
N° d'imprimeur : 58810

Composition, maquette et couverture :
Temps d'Espace, Paris

Imprimé en France.